お菓《か》子《し》づくりは子《こ》どもの遊《あそ》びです

文《ぶん》と絵《え》をかいた人《ひと》：ミシェル・オリヴェ
訳《やく》した人《ひと》：猫沢《ねこざわ》エミ

河出書房新社

Du même auteur

これもボクの本《ほん》だよ：

LA CUISINE est un jeu d'enfants

料理《りょうり》は子《こ》どもの遊《あそ》びです

est un jeu d'enfants

お菓子《かし》づくりは子《こ》どもの遊《あそ》びです

sont un jeu d'enfants

ジャムづくりは子《こ》どもの遊《あそ》びです

あまいものに**め**がないみなさんへ

この本《ほん》をかいたミシェル・オリヴェさんはフランスのゆうめいなシェフです。オリヴェさんが子どものために１９６０年代《ねんだい》から刊行《かんこう》した３さつの料理本《りょうりぼん》（料理《りょうり》とお菓《か》子《し》とジャムの本《ほん》）は大《だい》ベストセラーになりました。

もちろん、オリヴェさんはプロの料理人《りょうりにん》ですが、フランスではシェフじゃないふつうの男《おとこ》の人《ひと》も、おうちで気《き》がるにお菓子《かし》をつくります。しかも、そこらへんにあるカップで、小麦粉《こむぎこ》やさとうをザッザとはかってつくっちゃう！　むねがスッとするほど、だいたんでゆかいなフランスのお菓子《かし》づくり。きっとオリヴェさんも、そんなフランスの家庭《かてい》でつくられるお菓子《かし》のみりょくを伝《つた》えたくて、この本《ほん》をかいたのではないかとわたしは思《おも》います。

ここではむかしからつくられているていばんのお菓子《かし》を、より気《き》がるに、かんたんにつくれるようくふうしたルセット（フランス語《ご》でレシピのこと）がずらりとならんでいます。日本《にほん》でもすっかりおなじみのシュークリームや、マドレーヌ、ガトー・ショコラ、エトセトラ・エトセトラ。ケーキやさんのにんきものがおうちでつくれるって、なんてたのしいことでしょう！

さて、みなさんはこの本をひらいたとき、日本《にほん》のお菓子《かし》のルセットにはよくある“小《こ》麦粉《むぎこ》をふるう”という工程《こうてい》（つくりかたのうちのひとつ）がないことに、すぐ気《き》づくでしょう。

湿度《しつど》のひくいフランスでは、小麦粉《こむぎこ》はダマになりにくく、よっぽどこまやかなお菓子《かし》でないかぎり、ふるわなくてもなんとかなっちゃうから（日本《にほん》のみなさんはふるってもいいですよ）。と、こんなかんじで、みなさんもおおらかな気ぶんでつくってみてくださいね。

翻訳《ほんやく》にあたっては、フランスと日本《にほん》の食材《しょくざい》や器材《きざい》のちがいをかんがえて、《ポイント》の解説《かいせつ》をいれるなど、より日本《にほん》のみなさんがつくりやすいように気《き》をくばりました。

子《こ》どもからおとなまで、年代《ねんだい》をこえてあいされるこの本《ほん》で、遊《あそ》ぶようにお菓子《かし》づくりをたのしみましょう。

ボナペティ！（さあ、めしあがれ）

猫沢《ねこざわ》　エミ

Sommaire

もくじ

voici la tasse « étalon »

計量《けいりょう》カップのつくりかた

あかい線《せん》にそって　したの図《ず》をきりぬこう。
きりぬいたら　あおい点線《てんせん》をうちがわにおって
はじっこについている４つのでっぱりをのりでくっつけて
箱《はこ》のかたちにしよう。
できた箱《はこ》におこめをなみなみいれて
こんどは　そのおこめがぴったりはいるカップはないか
おうちのなかを探《さが》してみよう。

みつかったら　これから料理《りょうり》をするときは
いつもおんなじカップをつかって
ざいりょうをはかること。
これはキミたちが料理《りょうり》をじょうずにつくるために
とてもだいじなことなんだ。

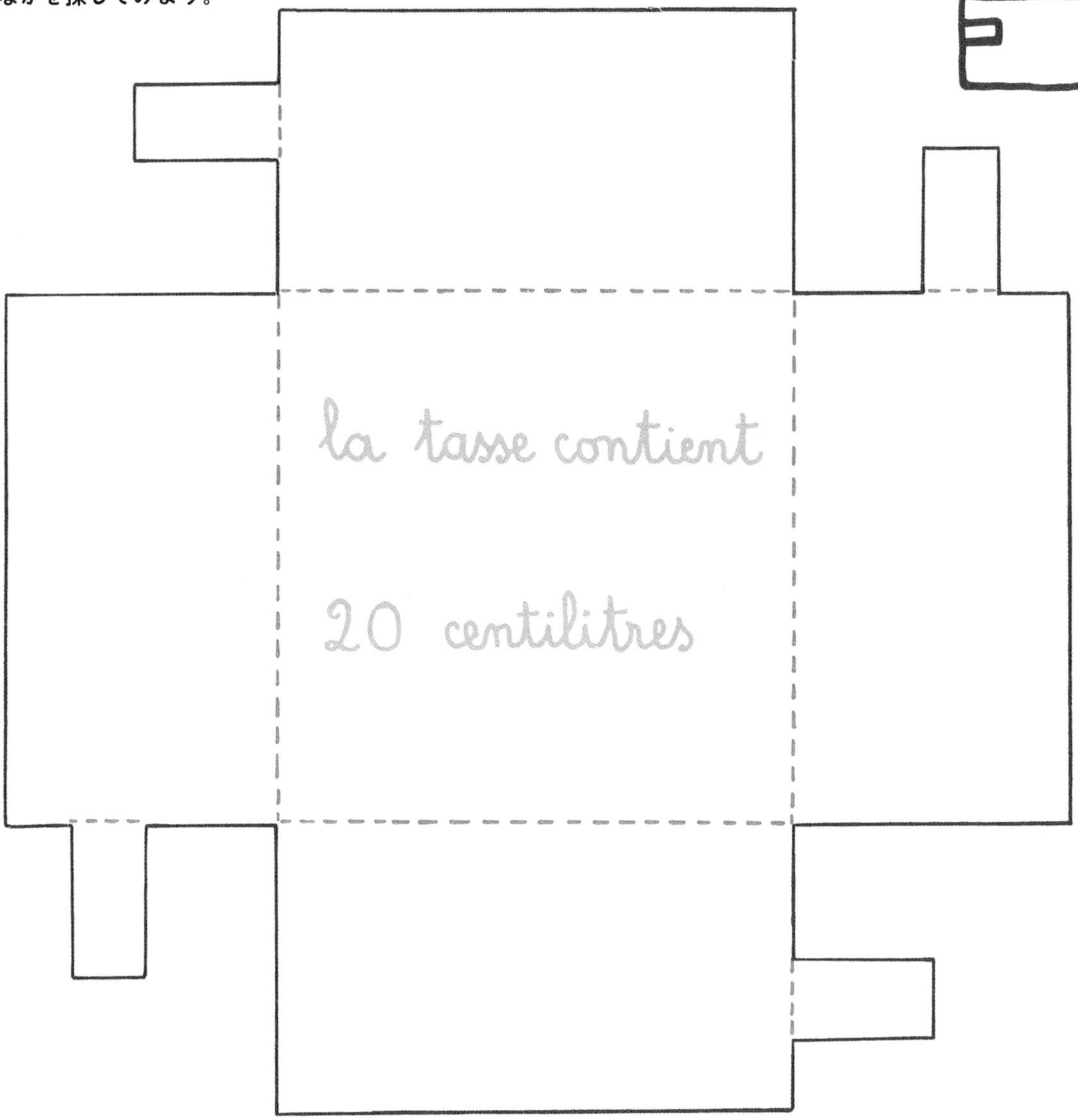

この箱《はこ》には２００ｃｃはいるよ

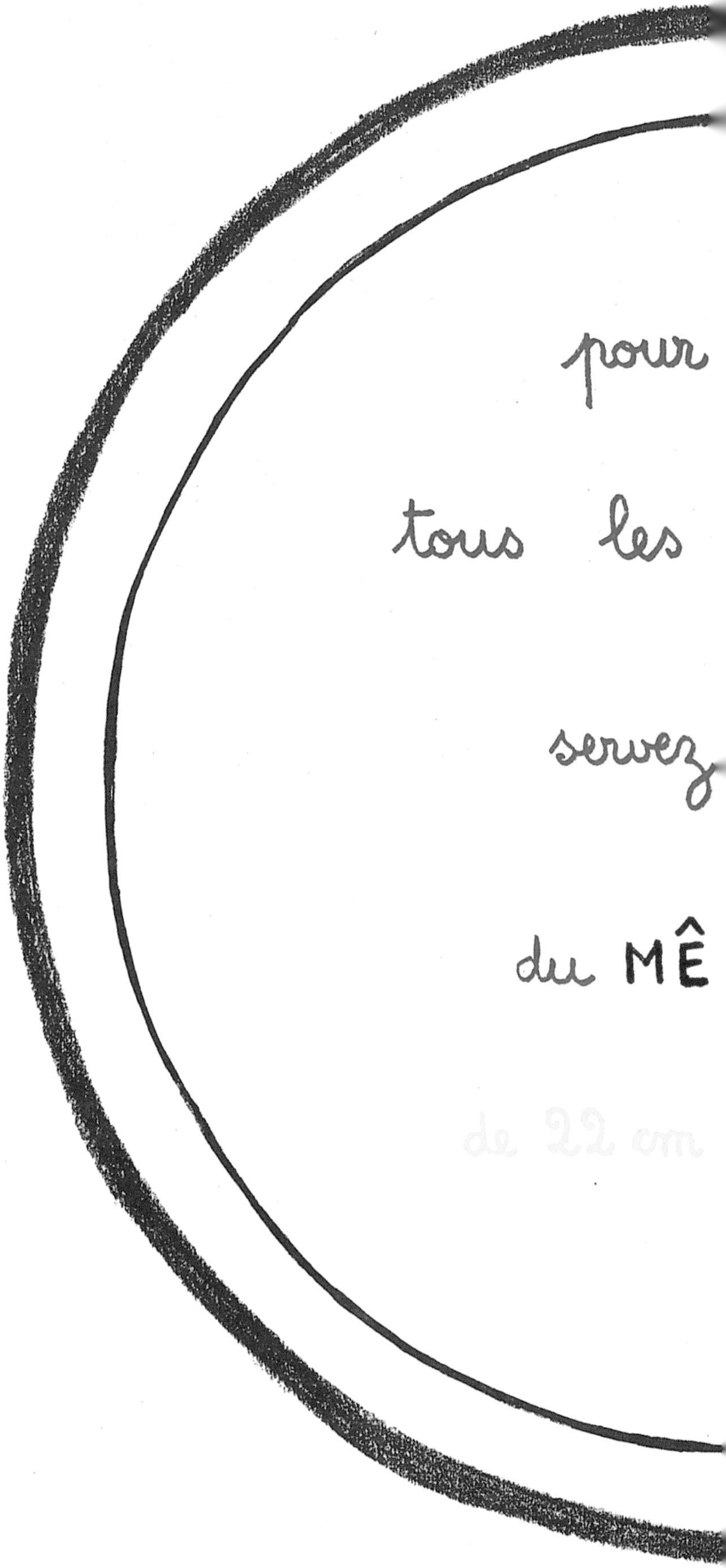

pour

tous les

servez

du MÊ

de 22 cm

ケーキ型《がた》のサイズ

おおきなケーキを
つくるときは
いつも直径《ちょっけい》２２cmの
おなじ型《かた》をつかってね

la pâ- -te terminée
doit
être
presque
liquide

できあがった生地《きじ》は
ほとんど
サラサラの液体《えきたい》
みたいでなきゃ
いけないんだ

Gâteau Magique

まほうのケーキ（ろくにんぶん）

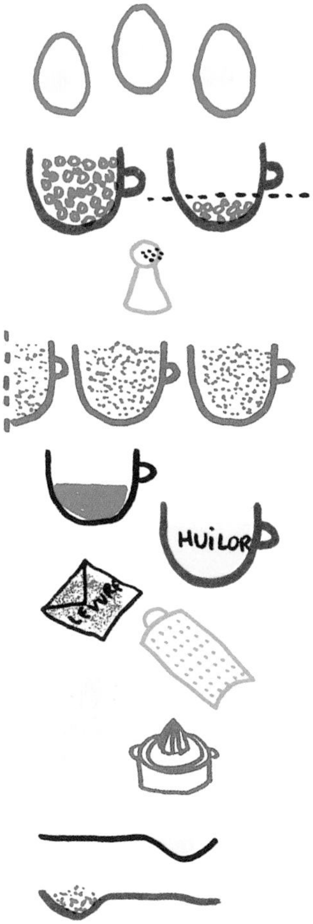

オーブンは１８０度《ど》にあたためておこう。

おおきなボウルに
たまご３コ
さとう１と１／３カップ
しお１つまみ
をいれたら　あわだて器《き》でよくまぜる。

そこに
薄力粉《はくりきこ》２と１／２カップ
牛乳《ぎゅうにゅう》１／２カップ
サラダオイル３／４カップ
ベーキングパウダー１ふくろ（１０g）
レモン１コぶんの　皮《かわ》をけずったのと
しぼったジュースをいれて
もういっぺん　よくまぜる。

型《かた》にサラダオイルおおさじ１ぱい　ぬったら
強力粉《きょうりきこ》（なかったら薄力粉《はくりきこ》でもいい）おおさじ１ぱい
まんべんなく　まぶしておく。
そこに　さっきまぜたきじをいれよう。

きじがはいってる型《かた》をオーブンにいれて１５ふんやく。

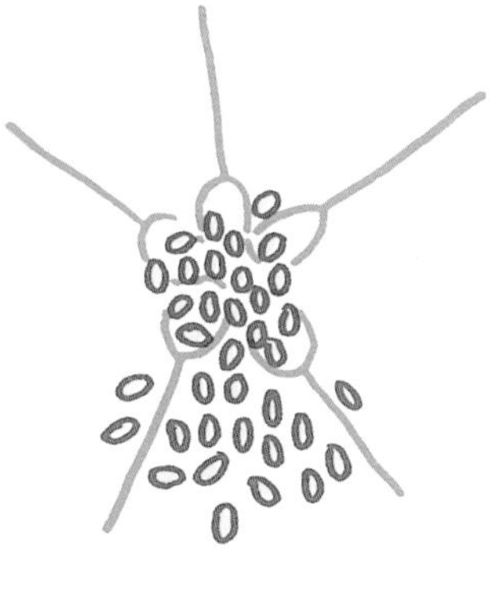

オーブンをあけて
ケーキのうえに
松《まつ》の実《み》おおさじ５はい　ふりまいたら
オーブンを１５０度《ど》にさげて
とびらをとじる。
３０ぷんやけば
まほうのケーキのかんせい。

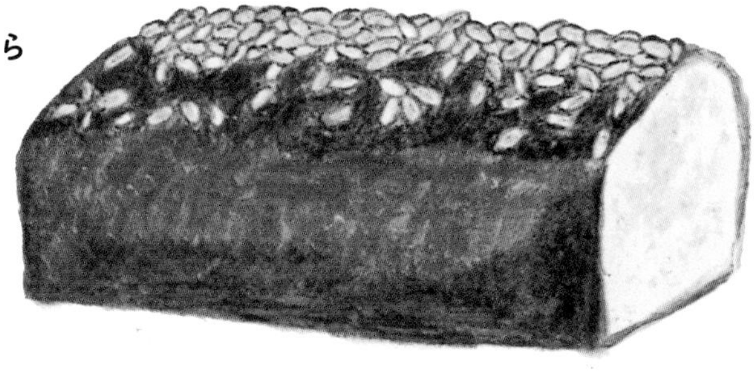

FEUX

ガスコンロの火《ひ》かげん

feu très doux

とろ火《び》

feu doux

弱《よわ》火《び》

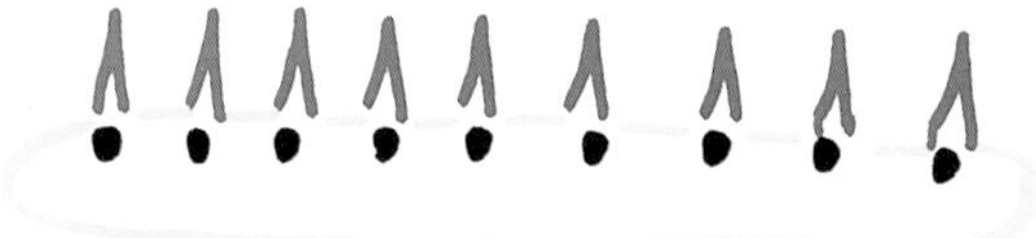

feu moyen

中《ちゅう》火《び》

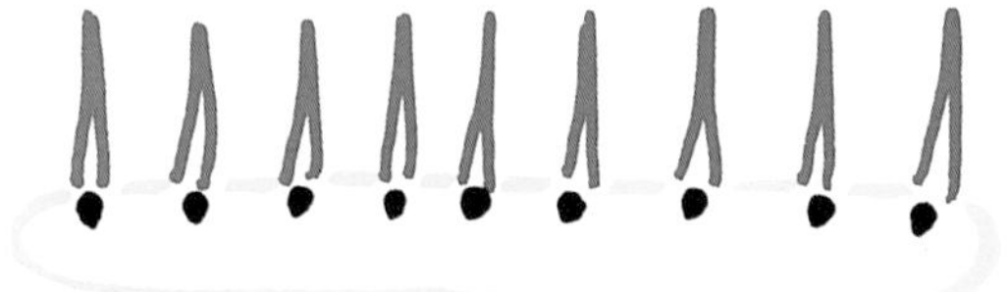

feu fort

強《つよ》火《び》

Biscuit Alsacien (6 pers)

アルザスふうビスキュイケーキ（ろくにんぶん）

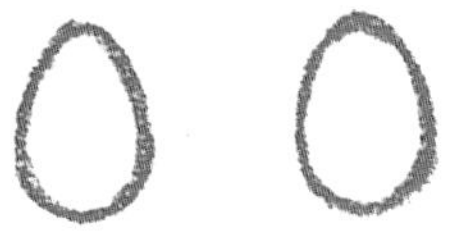

２つのおおきなボウルに
たまご５コの　しろみときみを
それぞれわけて　いれておこう。

バターおおさじ９はい
なべにいれて　とろ火《び》にかける。

きみがはいってるボウルに
さとう１と１／２カップ　いれて
木《き》べらでよくまぜる。
そこに　なべでとかしておいたバターをいれたら
薄力粉《はくりきこ》３カップ　牛乳《ぎゅうにゅう》１／３カップ
オレンジフラワーウォーターこさじ１ぱい
ベーキングパウダー１ふくろ（１０g）
しお３つまみ
を木《き》べらでまぜながらいれる。

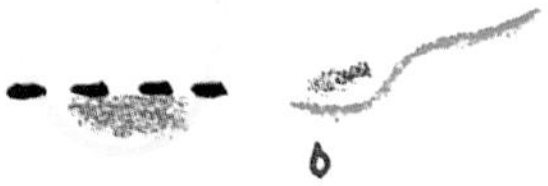

あわだて器《き》で　しろみをモコモコのゆきみたいに　かたくあわだてたら
さっきのきじに　木《き》べらでまぜる。

オーブンを２１０度《ど》にあたためておこう。

型《かた》にバターおおさじ１ぱい　ぬって
さっきまぜた　きじをいれよう。

オーブンで１じかん　やくよ。

ポイント！　オレンジフラワーウォーターってなあに？

フランスのお菓子《かし》づくりで、かおりづけによくつかわれる、ビターオレンジの花《はな》びらを水蒸《すいじょう》気《き》蒸留《じょうりゅう》してふうみをつけたものだよ。みんながよくしっているマドレーヌも、むかしながらのルセットでは、オレンジフラワーウォーターをいれるんだ。

écartez bien les macarons,
en cuisant, ils s'étalent

マカロンどうしは　はなしておくこと
やいてるうちに　ふくらむからね

plus
vous laissez cuire
les macarons
plus ils seront
DURS

やけば
やくほど
マカロンは
かたくなる

Macarons (20)

マカロン（２０コぶん）

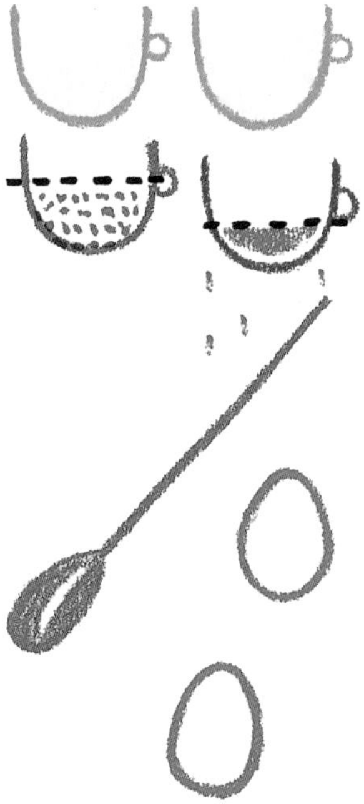

おおきなボウルに
アーモンドプードル２カップ
さとう３／４カップ
牛乳《ぎゅうにゅう》１／４カップ
をいれて　木《き》べらで３ぷんかん　まぜる。

たまご２コを　しろみときみにわけて
きみは　こざらにとっとく。
（１５ページの“プチ・ミラネ”を　つくるときに　つかうよ）
しろみをモコモコのゆきみたいに　かたくあわだてたら
きじに　木《き》べらでさっくりまぜる。

オーブンを１２０度《ど》にあたためておこう。

天板《てんぱん》にアルミホイルをしいて
きじを　こさじ１ぱい　スプーンですくったら
天板《てんぱん》のうえにおいて　おやゆびでぎゅっとおす
……を１０かい　くりかえして
天板《てんぱん》２まいぶん（２０コ）つくるよ。

オーブンで２５ふん　やいたら
できあがり。

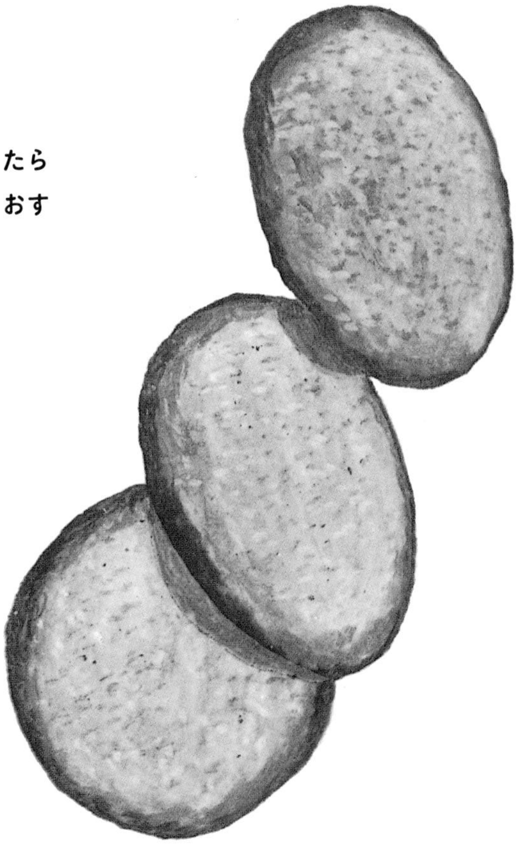

ポイント！
クリームやジャムをはさんだマカロンと、そぼくなマカロン

フランスの老舗《しにせ》お菓子屋《かしや》さん《ラデュレ》のマカロンみたいな、クリームやコンフィチュール（フランス語《ご》でジャムのこと）がはさまったマカロンが日本《にほん》ではゆうめいだけど、むかしからフランスのいろんな地方《ちほう》には、なにもはさまない、そぼくなマカロンがあって、家庭《かてい》でもよくつくられているんだ。

chaque fois qu'il faut
allumer le four il y a
toujours à côté le
numéro du thermostat

(4) (5) (6) (7) (8)...

オーブンをつかうときは
ダイヤルの数字《すうじ》をみて
温度《おんど》をあわせよう

Petits Milanais (25)

プチ・ミラネ（２５コぶん）
〜ミラノふうクリスマスクッキー

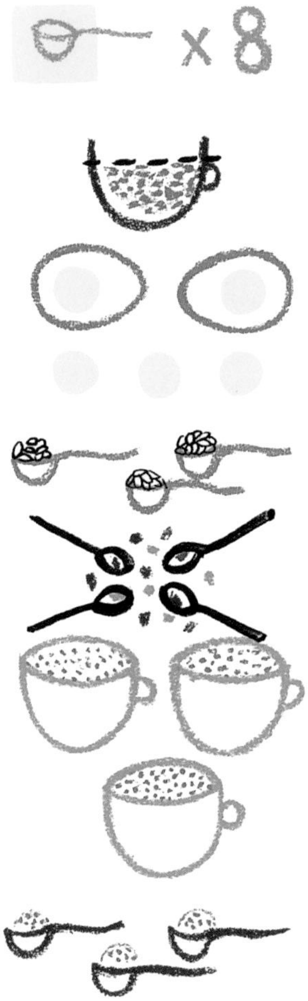

バターおおさじ８はい
なべにいれて　とろ火《ひ》にかける。

おおきなボウルに
さとう３／４カップ　たまご２コ
マカロンをつくるときにとっといた　きみ２コぶん
をいれて　木《き》べらでよくまぜる。

そこに　なべでとかしておいたバターをいれたら
アーモンドプードルおおさじ３ばい
ドライフルーツのみじんぎり　おおさじ４はい
薄力粉《はくりきこ》３カップ　しお３つまみ　をいれて
また　木《き》べらでよくまぜる。

オーブンは１８０度《ど》にあたためておこう。

おさらに強力粉《きょうりきこ》（なかったら薄力粉《はくりきこ》でもいい）
おおさじ３ばい　いれておく。

きじを　こさじ１ぱい　スプーンですくったら
おさらのうえにおとして　おやゆびで　ぎゅっとおす。
それを　てでやさしく　粉《こな》にまぶしたら
天板《てんばん》のうえにならべる
……を　きじがなくなるまで　くりかえそう。

オーブンで１５ふん　やく。

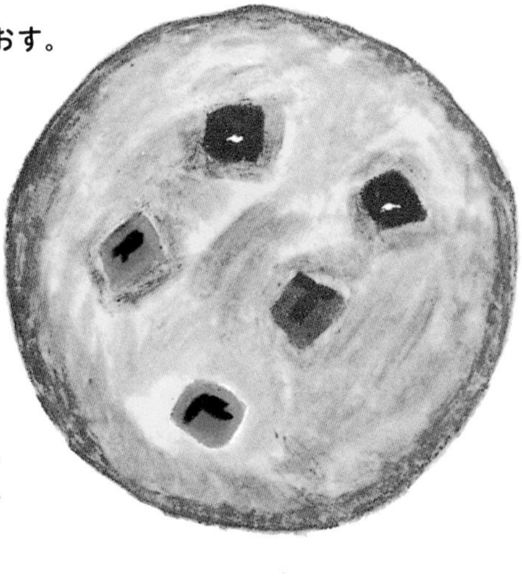

ポイント！　ミラノふうなのに、スイス生まれのクリスマスクッキー

“ミラネ”はミラノふうっていういみなんだけど、このクッキーはスイスの家庭《かてい》でクリスマスのころになるとよくつくられるんだ（イタリアじゃないのがおもしろいよね！）。ヨーロッパでは、クリスマスをいわういろんなお菓子《かし》が、それぞれの国《くに》でつくられているよ。

Glaçage

アイシング
（糖衣《とうい》をかけること）

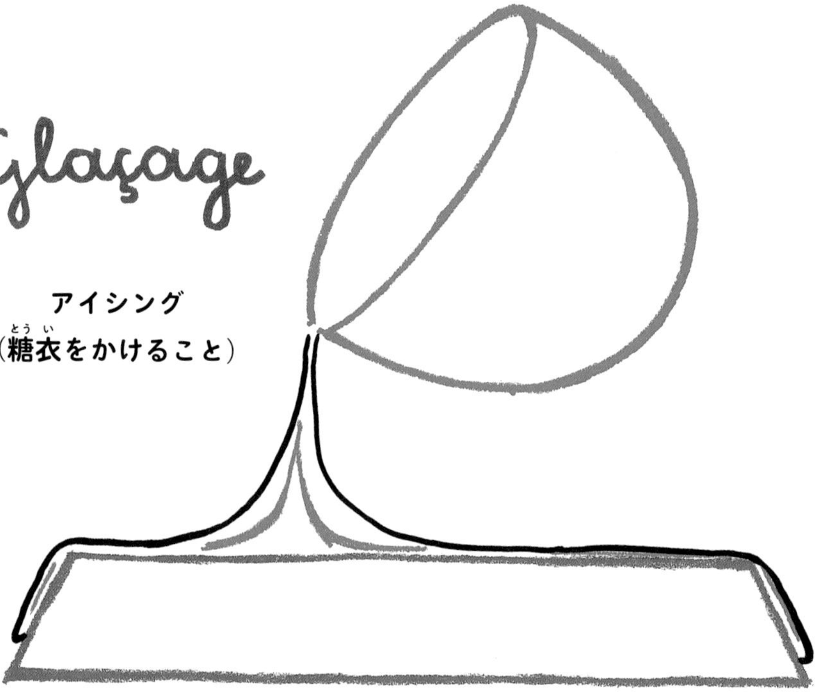

pour ramollir
le beurre laissez-le
dans un endroit tiède

バターをやわらかくするには
あったかいところに　ほっとくのがいい

ポイント！　アイシングってなあに？

アイシングって、さとうとたまごのしろみでつくるペーストを、やけたケーキのひょうめんにぬっておけしょうすることなんだ。こうするとすりガラスみたいな半透明《はんとうめい》のまくができて、できあがりがきれいなのと、ケーキの水分《すいぶん》がとじこめられてしっとりおいしくなるんだ。

Fondant aux cerises confites (6 pers)

さくらんぼのアイシングケーキ（ろくにんぶん）

おおきなボウルに
たまご３コときみ１コぶん
（しろみは　べつのボウルにとっとく）
さとう３／４カップ
しお２つまみ　をいれて
モコモコにあわだつまで
あわだて器《き》でよくまぜる。

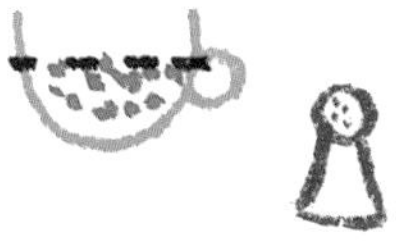

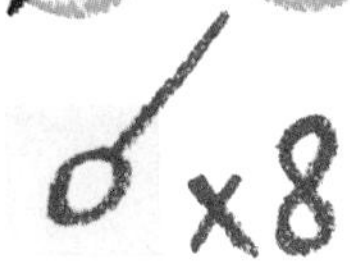

そこに　薄力粉《はくりきこ》３／４カップ
アーモンドプードル１と１／２カップ
あったかいところにほっといて　やわらかくした　バターおおさじ８はい
ベーキングパウダーこさじ１ぱいをいれて
あわだて器《き》で　またよくまぜる。

オーブンは１８０度《ど》にあたためておこう。

型《かた》にバターおおさじ１ぱい　ぬったら
強力粉《きょうりきこ》（なかったら薄力粉《はくりきこ》でもいい）おおさじ１ぱい
まんべんなく　まぶしておく。

きじを型《かた》にいれて　オーブンで３５ふん　やく。

ケーキがやけたら　型《かた》をひっくりかえして
テーブルにだす　おさらのうえに　おいておく。

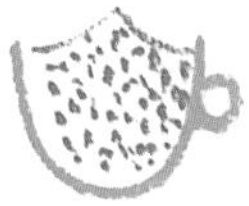

ボウルにとっといた　しろみに
こなざとう１カップ　いれて
木《き》のスプーンで　よくまぜたら
ケーキのひょうめんに
まんべんなく　ぬる。

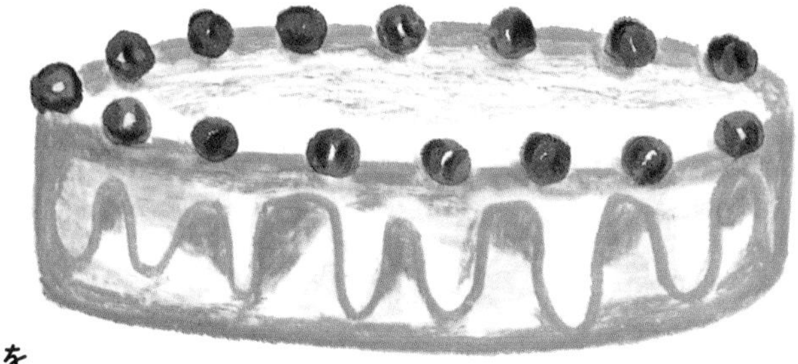

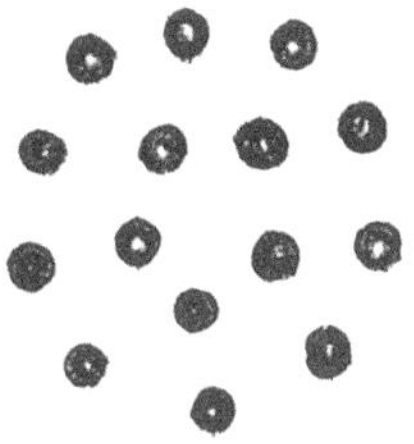

しあげに　さくらんぼのさとう漬《づ》けを
１５コかざってね。

mettez au frais

directement

dans les coupes

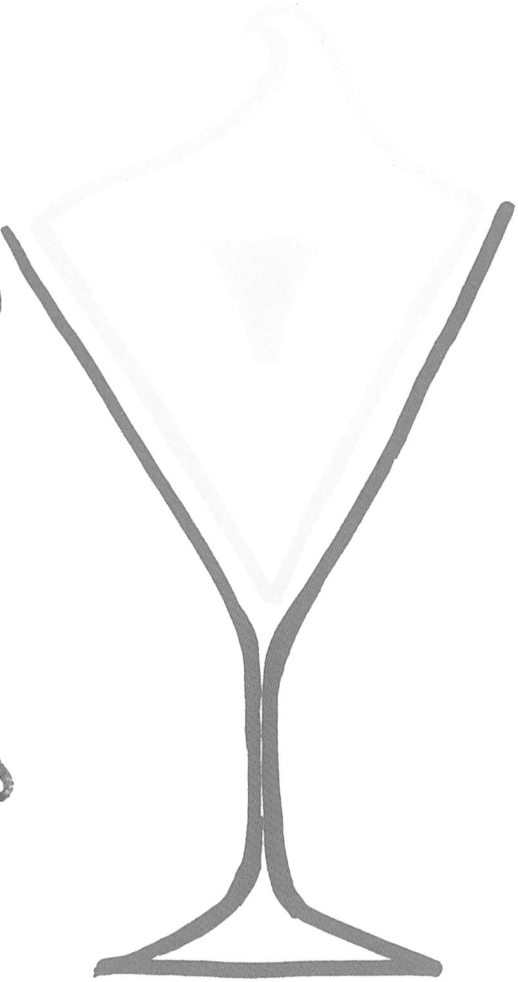

うつわにいれて
ちょくせつ
れいぞうこへ

Mousse au citron (6 pers)

レモンのムース（ろくにんぶん）

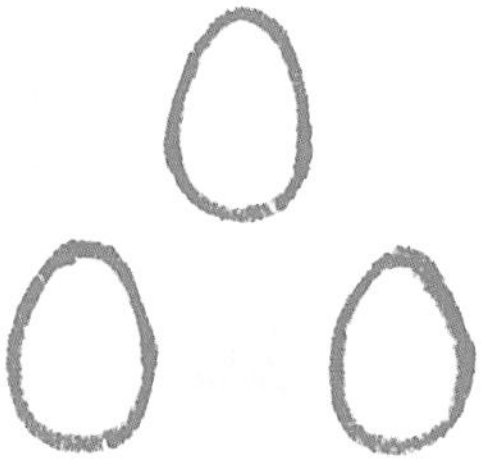

２つのおおきなボウルに
たまご３コの　しろみときみを
それぞれわけて　いれておこう。

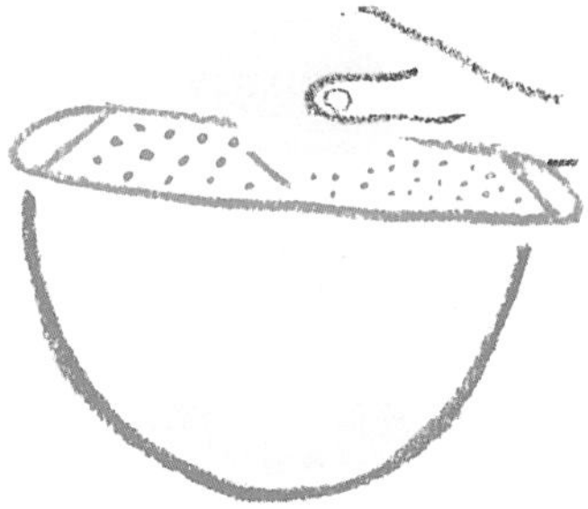

きみの　はいってる　ボウルに
レモン１コぶんの　皮《かわ》をけずったやつ
しぼったジュース
ちいさなフロマージュ・ブラン３コ（ごうけい１８０g）
さとう３／４カップをいれて
あわだて器《き》で　よくまぜる。

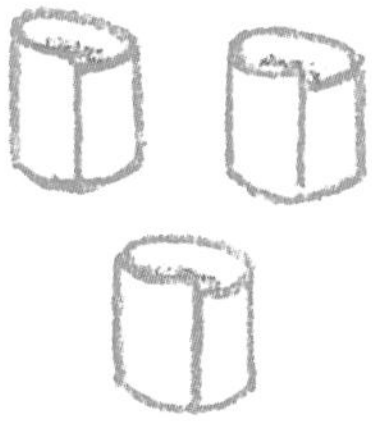

べつのボウルにはいってる　しろみを
あわだて器《き》で　モコモコのゆきみたいに
かたくあわだてよう。

あわだてたしろみを　きみのボウルにいれて
あわだて器《き》で　よくまぜたら
できあがり。

ポイント！
フロマージュ・ブランってなあに？

“しろいチーズ”っていういみのフロマージュ・ブランは、牛乳《ぎゅうにゅう》を乳酸菌《にゅうさんきん》などでかためて、水《みず》をしぼったフレッシュ・チーズのことをいうんだ。フランスでは赤《あか》ちゃんの離乳食《りにゅうしょく》としてもたべられていて、ちいさなカップいりのものが売《う》ってるんだよ。

こなざとうは
きめのこまかな
ものでなくちゃ

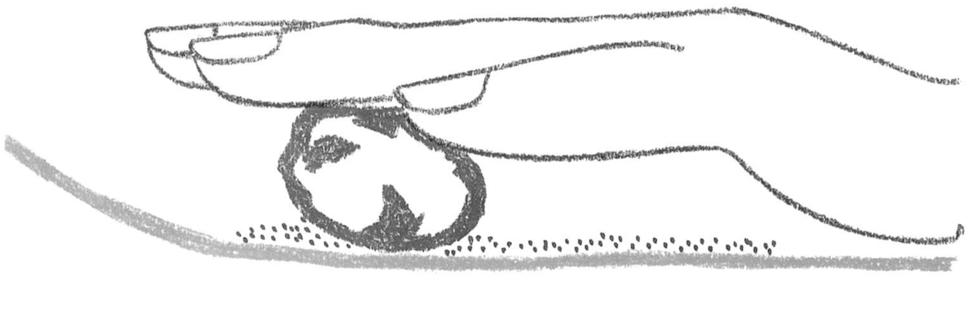

Truffes au Chocolat (12)

トリュフ・オ・ショコラ（１２コぶん）

製菓用《せいかよう》のチョコレートを　ちいさく
くだいたやつ２カップと
水《みず》おおさじ２はい
なべにいれて　弱火《よわび》にかける。

ときどき　かきまぜながら
チョコレートをよく　とかしたら
できるだけすばやく
おおきなボウルに　いれよう。

そこに
こなざとう１カップ
バニラシュガー１ふくろ（7.5g）
生《なま》クリームおおさじ５はい
を木《き》べらでよくまぜたら
ボウルごと　れいぞうこに１じかん　いれておく。

それからラム酒《しゅ》を
おおさじ２はい

ボウルをれいぞうこから　だしておこう。

おさらにココアおおさじ２はい　いれて
おおきなスプーンで　きじを　ひとすくいしたら
おさらのうえにおいて　てでまるめて
ココアにまぶす。

つめたいうちに　あじわってね。

ポイント！　バニラシュガーってなあに？

フランスのお菓子《かし》づくりでよくつかう、あらかじめバニラのかおりがついているさとうのことをいうんだ。もしなかったら、ふつうのさとうとバニラエッセンスをつかってね。

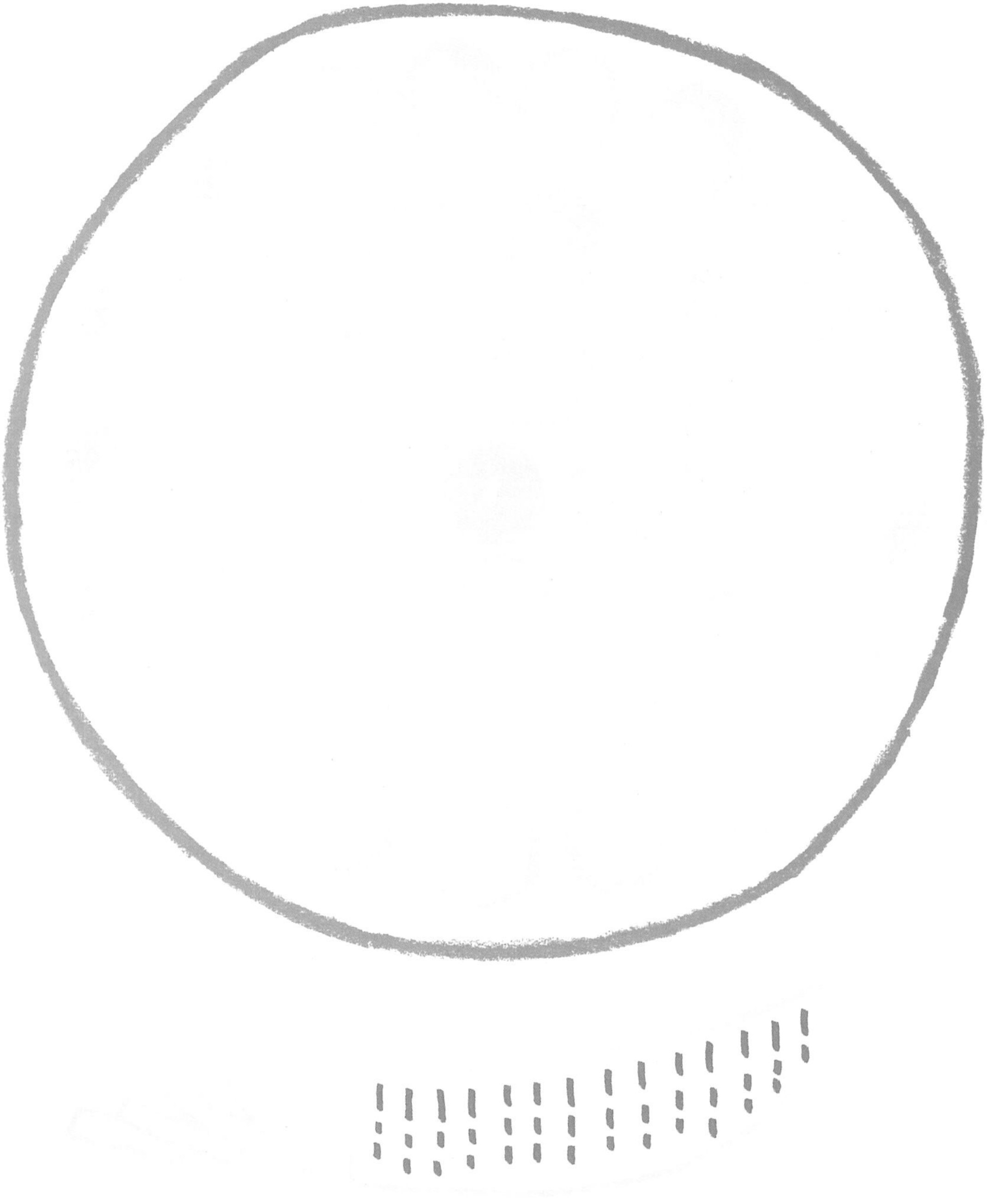

15 tranches par banane

バナナ１ぽんで１５きれ

Gâteau à la banane

バナナのケーキ（ろくにんぶん）

バターおおさじ１２はい
なべにいれて　とろ火《ひ》にかける。

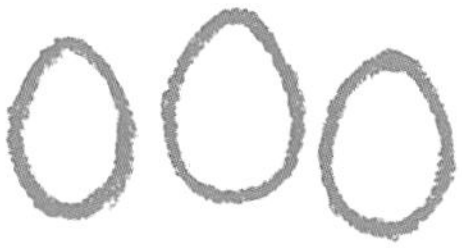

２つのおおきなボウルに
それぞれ　たまごのしろみときみを
３つずつわけて　いれておこう。

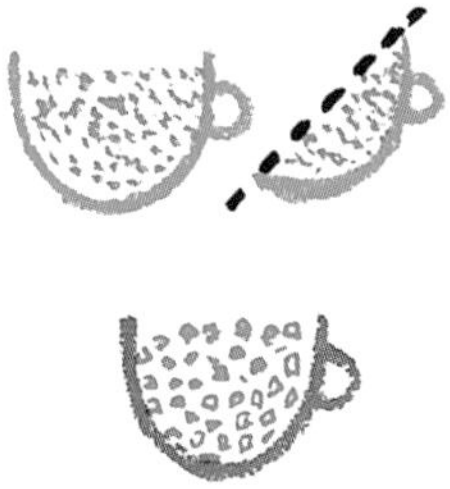

きみのはいってるボウルに
レモン１コぶんの　皮《かわ》をけずったやつ
薄力粉《はくりきこ》１と１／２カップ
さとう１カップ
なべで　とかしておいたバター
しお３つまみ
をいれて木《き》べらでよくまぜる。

型《かた》にバターおおさじ１ぱい　ぬっておく。

しろみはあわだて器《き》で　モコモコのゆきみたいに　かたくあわだてよう。
きみのボウルに　あわだてたしろみをいれて　さっくりまぜたら
きじを型《かた》にいれる。

オーブンは２１０度《ど》にあたためておこう。

ピカピカのバナナ２ほんの皮《かわ》をむいて
うすぎりにしたら
きじのうえにならべて
オーブンで３０ぷん　やく。

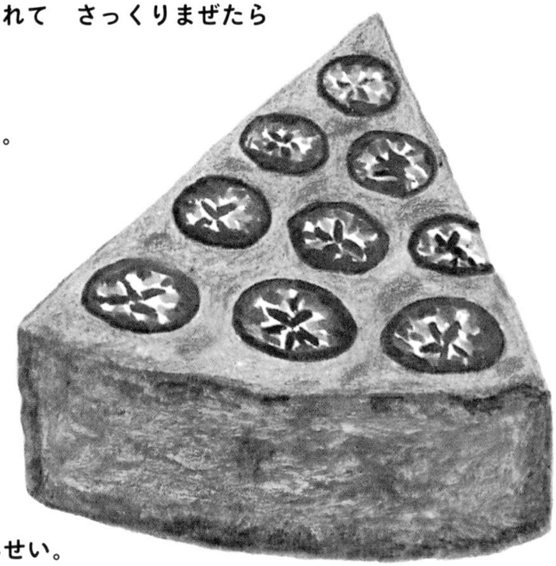

オーブンをあけて
さとう　おおさじ２はいを
きじのうえにふりかけて
もういっぺん２０ぷん　やいたら　かんせい。

ouvrez toujours en 2
le bâton de vanille

バニラのさやは
いつも２つに　さいてね

égouttez bien les pommes
avant de les ranger sur le plat

おさらのうえに　ならべるまえに
りんごの水《みず》気《け》は　よくきること

Pommes fondantes (6 pers)

とろけるりんご（ろくにんぶん）

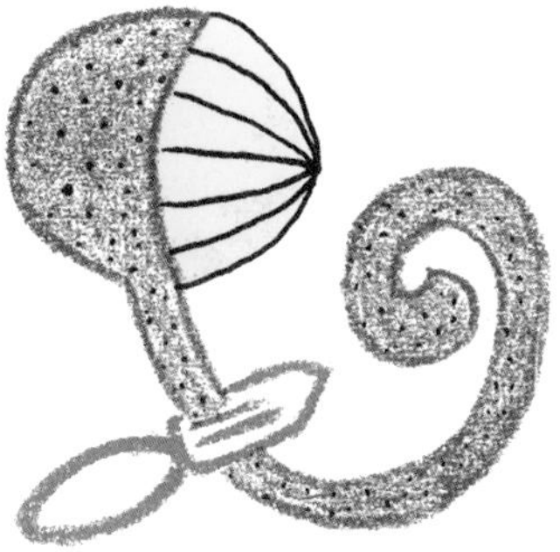

中《ちゅう》くらいのおおきさの　りんご６コの
かわをむいて　まんなかのしんをくりぬこう。

おおきななべのなかに　りんごをならべて
さとう２／３カップ
バニラのさや１／２ぽん
オレンジ１コぶんの　むいた皮《かわ》
しお２つまみ
ひたひたの　水《みず》をいれて
中火《ちゅうび》にかけたら　ふたをしないで
４５ふん　コトコトにる。

テーブルにだす　おおきなおさらのうえに
りんごをひとつひとつ　しんちょうに
ピラミッドのかたちに　もりつけよう。

キュラソーをちょこっと
いれてもいい

りんごをとりだしたなべを
強火《つよび》に１０ぷんかけて
のこったシロップを
につめたら
ざるでこしながら
りんごのうえにかける。

ひやして
めしあがれ。

バターをぬった型《かた》に
薄力粉《はくりきこ》を
まんべんなく
まぶすには

pour fariner
répartissez
la farine dans
les moules beurrés

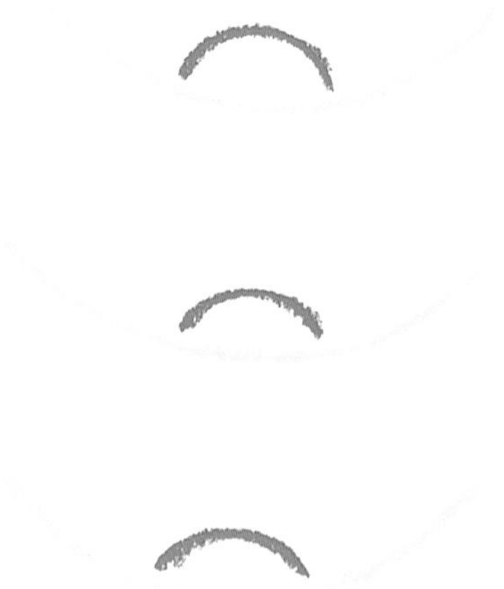

型《かた》の底《そこ》を　ゆびで
かるくたたきながら
ぜんぶの方向《ほうこう》に
くるくる
かたむけると
うまくいく

tournez
les moules
dans tous
les sens

EN TAPOTANT

薄力粉《はくりきこ》がバターに
しっかり
ひっかかる

la farine
s'accroche
au beurre

Madeleines (18)

マドレーヌ（１８コぶん）

バターおおさじ６はい
いれたなべを　弱《よわ》火《び》にかける。

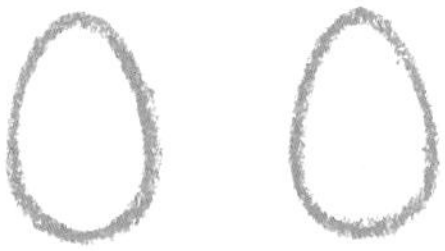

おおきなボウルに　たまご２コわって
なべでとかしておいた　バターをいれたら
あわだて器《き》で　まぜる。

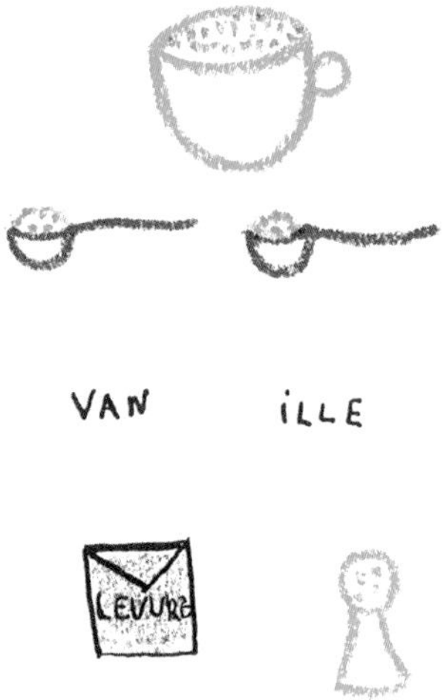

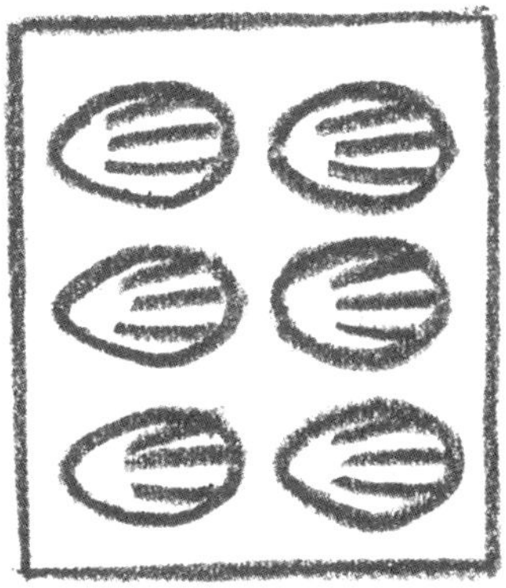

そこに
薄力《はくりき》粉《こ》１カップ
さとう　おおさじ２はい
バニラシュガー２ふくろ（１５ｇ）
ベーキングパウダー１ふくろ（１０ｇ）
しお２つまみ　をいれたら
あわだて器《き》で　よくまぜる。

オーブンを１８０度《ど》にあたためておこう。

マドレーヌの型《かた》に
バターおおさじ１／２ぱい　ぬって
強力《きょうりき》粉《こ》（なかったら薄力《はくりき》粉《こ》でもいい）おおさじ１ぱい
まんべんなく　まぶしておく。

きじを型《かた》の３／４のたかさまでいれて
オーブンで２０ぷん　やく。

きじが　あついうちに
松《まつ》の実《み》を　さしちゃおう！

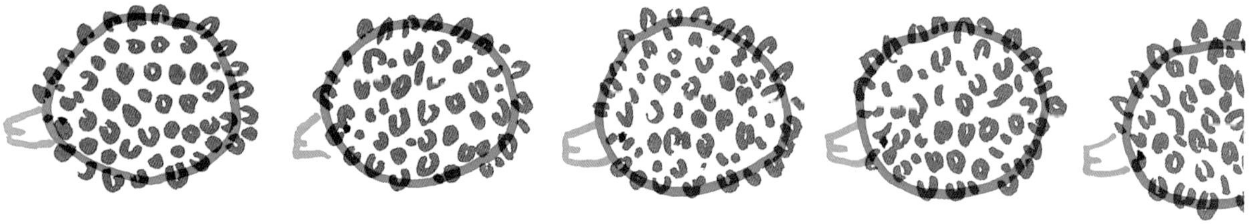

au lieu d'un seul GROS hérisson
on peut faire une dizaine de bébés

おおきなハリネズミ１ぴき　つくるかわりに
やく１０ぴきの　あかちゃんハリネズミがつくれるよ

Hérisson (6 pers)

ハリネズミ（ろくにんぶん）

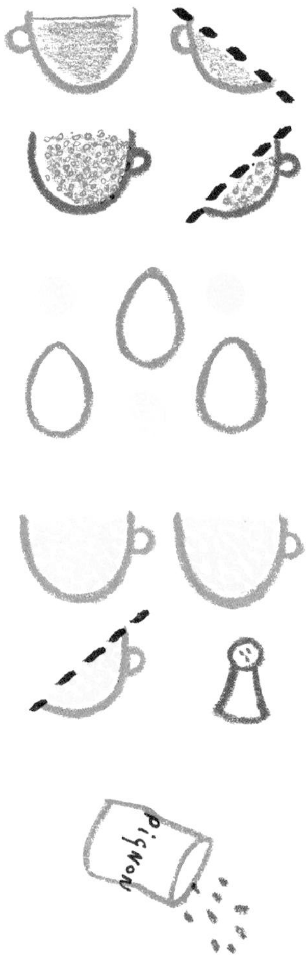

シロップをつくるには

水《みず》1／2カップ
さとう1と1／2カップ
いれたなべを　強火《つよび》にかける。

2つのおおきなボウルに
たまご3コの　しろみときみを
それぞれわけて　いれておこう。
（しろみはムラングを　つくるときにつかうよ）

きみのはいってるボウルに
アーモンドプードル2と1／2カップ
しお3つまみ
さっきなべでとかしておいた　シロップをいれたら
木《き》べらでよくまぜて
かためめの　きじをつくる。

てで　きじをハリネズミのかたちに
ととのえたら　ひょうめんに
松《まつ》の実《み》100ぽん　さしちゃえ！

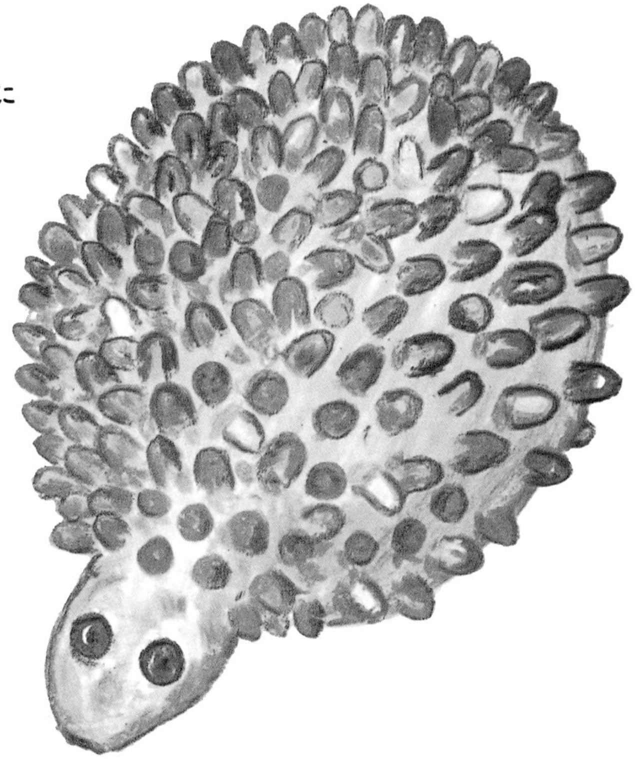

Meringues (15)

ムラング（１５コぶん）

天板《てんばん》にサラダオイルおおさじ１／２ぱい　ぬって
強力《きょうりき》粉《こ》（なかったら薄力《はくりき》粉《こ》でもいい）おおさじ１ぱい
まんべんなく　ふっておく。

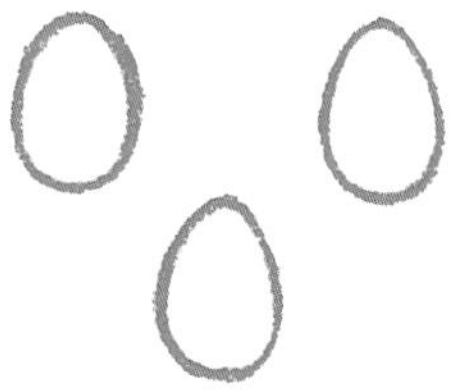

オーブンは６０度《ど》にあたためておこう。

ハリネズミをつくるときに　とっといた
しろみ３コぶんを
あわだて器《き》で　モコモコのゆきみたいに　すごくかたくあわだてたら
さとう１カップ　いれて
スプーンで　ゆっくりまぜる。

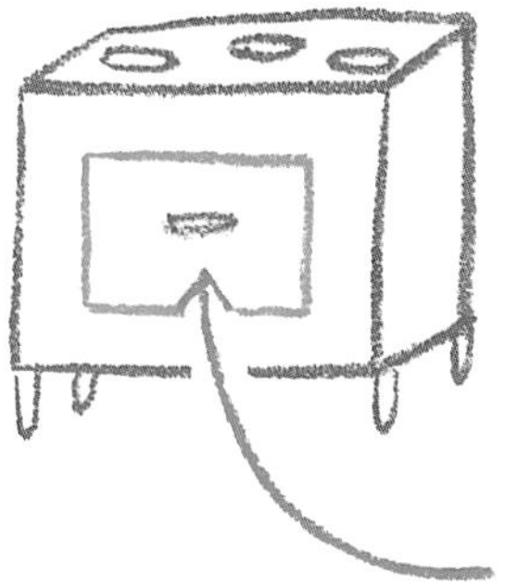

しぼりぶくろに
きじを　ぜんぶいれて
天板《てんばん》のうえに
ちいさいソーセージのかたちに
しぼりだす。

オーブンで４０ぷん　やくよ。

ポイント！　メレンゲじゃなくてムラング？

たまごのしろみをあわだてて、さとうをまぜてやいたお菓子《かし》を日本《にほん》ではメレンゲっていうけれど、フランス語《ご》ではムラングって発音《はつおん》するんだ。ひくい温度《おんど》でゆっくりやいたムラングは、くちにいれるとサクサクほろほろ。昔《むかし》からフランス人《じん》がだいすきなお菓子《かし》だよ。

glissez la pâte

entre le moule et les pommes

型《かた》とりんごの　あいだに

きじを　さしこむ

型《かた》のさとうがこげて　キャラメルみたいになるよ

Tarte retournée aux Pommes (4 pers)

りんごのひっくりかえしタルト（よにんぶん）

おおきなボウルに

たまご１コ

薄力粉《はくりきこ》１と１／２カップ

さとう１／３カップ

（あったかいところにほっといて）

やわらかくしたバターおおさじ３ばい

ベーキングパウダー１ふくろ（１０ｇ）

しお２つまみ　をいれて

じかんをかけて　てでまぜて

１コのボールみたいに　まるめる。

ピカピカのりんご３コの皮《かわ》をむいて

４つにきったら　きった１コずつを

さらに７まいの　うすぎりにする。

型《かた》のうちがわに　バターおおさじ３ばい　しっかり　ぬりこんだら

さとう１／３カップを　まんべんなく　ふっておく。

りんごのうすぎりが　なくなるまで

型《かた》にならべて　かさねる。

さとう１／３カップ

バニラシュガー１ふくろ（７．５ｇ）

をりんごのうえに　ふりかける。

オーブンは１８０度《ど》にあたためておこう。

まるめておいたきじを　めんぼうでのばして

りんごのうえにおいたら

型《かた》とりんごのあいだに

きじのふちを　さしこむ。

オーブンで５０ぷんやいたら

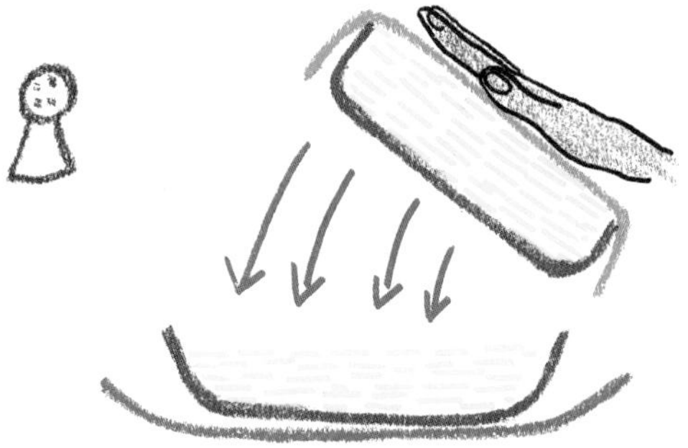

démoulage

型《かた》からとりだそう

ふきんを　水《みず》につけよう

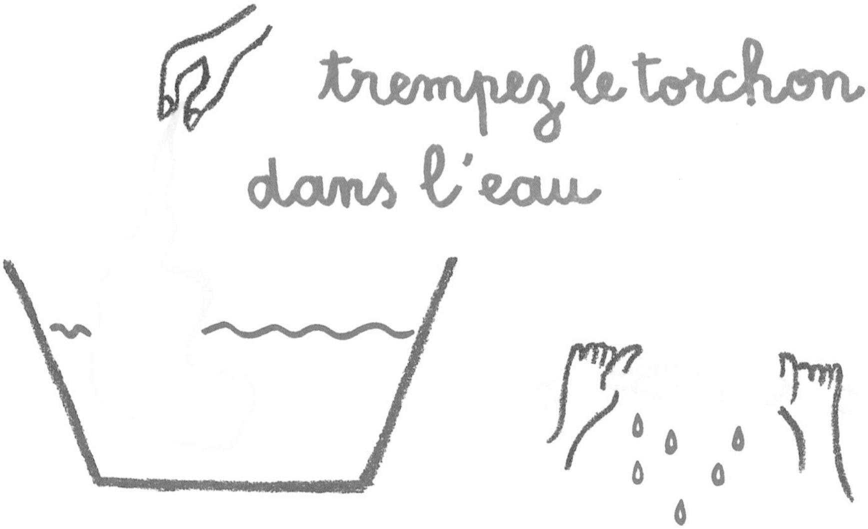

水《みず》気《け》をしぼって
まったいらに
ひろげる

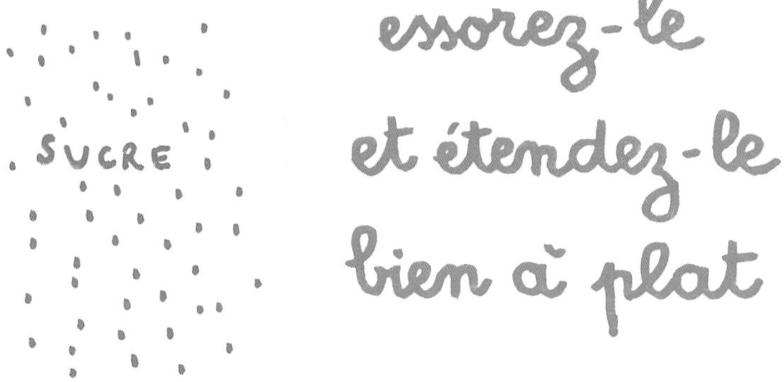

さとう

コンフィチュール

きじの　まるめかた

ポイント！　やわらかいのもあるんだよ。“ビスケット” のもとになったビスキュイ

ビスケットっていうと、サクサクしたかたいクッキーのイメージが日本《にほん》ではあるけど、ビスケットっていう言葉《ことば》のもとにもなったフランス語《ご》のビスキュイは、クッキーやビスケットだけじゃなくて、ケーキのスポンジきじのこともさすんだ。１１ページのアルザスふうビスキュイケーキや６２ページのりんごのビスキュイケーキみたいにスポンジきじのお菓子《かし》も、この本《ほん》ではビスキュイってよぶよ。

Biscuit Roulé (4 pers)

うずまきビスキュイケーキ（よにんぶん）

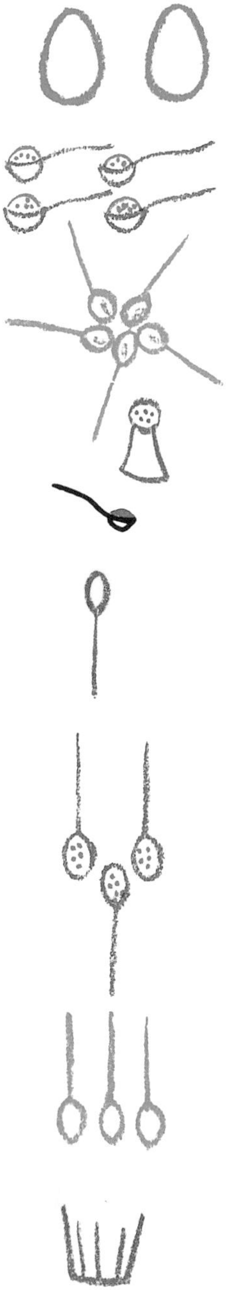

おおきなボウルに
たまご２コ
さとう　おおさじ４はい
薄力粉《はくりきこ》おおさじ５はい
しお２つまみ
をいれたら
なめらかな　きじになるまで
木《き》べらで　まぜる。

そこにベーキングパウダーこさじ１ぱい
いれて　またよくまぜる。

天板《てんばん》のサイズは
たて２５センチ
よこ３０センチ
くらい

オーブンは１８０度《ど》にあたためておこう。

ちいさな天板《てんばん》に　バターおおさじ１ぱい　ぬったら
さっきまぜた　きじをいれて
オーブンで１２ふん　やく。

ビスキュイがやけたら　オーブンの火《ひ》をけそう。

せいけつなふきん１まい　水《みず》にぬらして
テーブルのうえに　まったいらにひろげたら
さとうおおさじ３ばい　ふりまこう。

ビスキュイをオーブンからだして
さとうまみれの　ふきんのうえにおく。

コンフィチュールおおさじ３ばい
ビスキュイのうえにぬって
はじから　くるくるまいたら
うずまきビスキュイケーキの　かんせい。

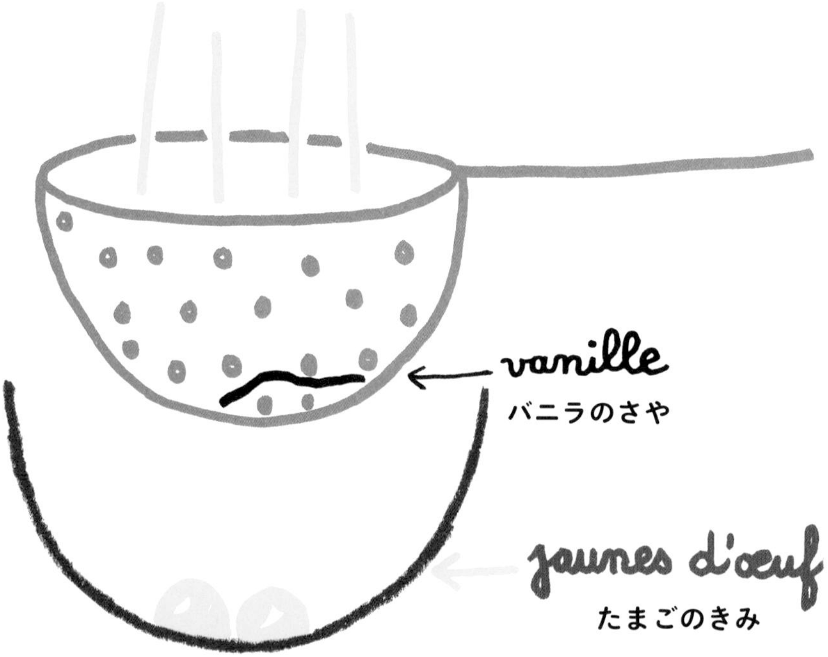

décalottez
le chou avec un
couteau et fourrez-le
avec 2 cuillères à soupe
de crème.

ナイフでシューの
あたまをきって　フタをあけたら
クリームおおさじ２はいを
なかにつめる

Crème à choux

シューにつめるクリーム

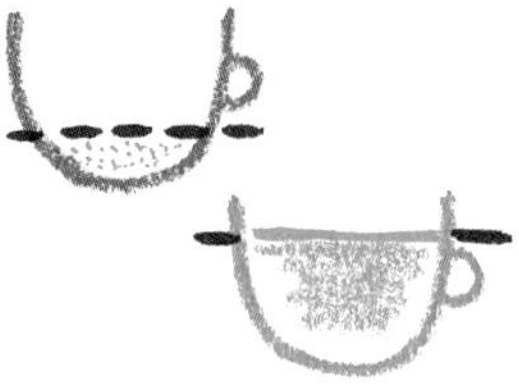

おおきななべに
薄力粉《はくりきこ》１／４カップ　いれたら
あわだて器《き》で　まぜながら
牛乳《ぎゅうにゅう》３／４カップをいれよう。

そこに　さとう１／３カップ
バターおおさじ４はい
バニラのさや１／２ぽん
しお２つまみいれて　またまぜる。

なべを　とろ火《び》にかける。

たまご２コの　しろみときみをわけて
しろみは　おおきなボウルに
きみは　こざらのうえにとっとこう。

なべのなかみが　ぐつぐつ　ふっとうするまで
あわだて器《き》を　うごかしながら　かきまぜる。
なかみを　ざるでこしながら
おおきなボウルにうつす。
さっき　こざらにとっといた　きみを
そこにいれて
あわだて器《き》でまぜる。
しろみを　あわだて器《き》で　モコモコのゆきみたいに
かたくあわだてたら　クリームにまぜる。

さめるのを　まってから
シューのなかに
つめよう。

ZZZ
クリームを
なめちゃったのは
ボクじゃないよ

mélangez

jusqu'à ce que la

pâte redevienne

homogène.

たまごを　いれるたびに
均一《きんいつ》（ぜんぶにいきわたること）になるまで
まぜること

Choux à la Crème (12)

シュークリームのシュー（１２コぶん）

水《みず》１カップ
バターおおさじ４はい
しお２つまみ
なべにいれて　中火《ちゅうび》にかける。

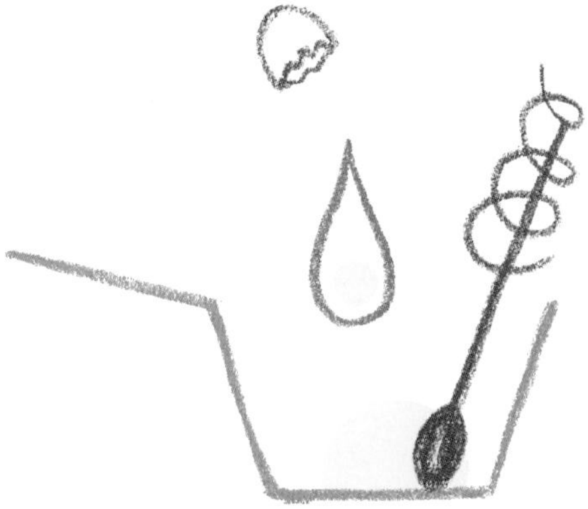

ふっとうしたら
薄力粉《はくりきこ》１カップ
をいれて
きじがボールみたいにまとまるまで
木《き》べらで　よくまぜる。

そこに
さとう　こさじ２はい
たまご４コを　ひとつずつ
いれるたびに　木《き》べらでよくまぜよう。

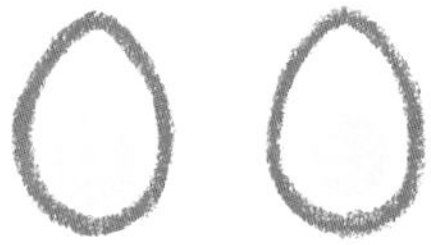

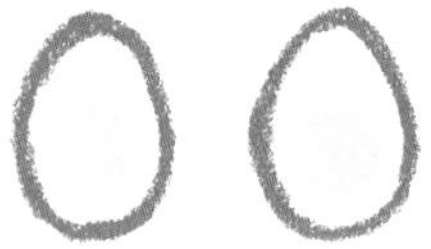

オーブンは２１０度《ど》にあたためておこう。

きじを　おおさじ１ぱい
スプーンですくったら
ゆびでおして　天板《てんぱん》のうえにおとす
……を１２かい　くりかえす。

オーブンで３０ぷん　やいてね。

une cuillère de chaque pâte

それぞれの　きじは
スプーン１ぱいずつ

Gâteau Marbré (6 pers)

マーブルケーキ（ろくにんぶん）

たまご３コの　しろみときみをわけて
２つのおおきなボウルに　それぞれいれておく。

さとう１と１／３カップ
（あったかいところにほっといて）
すごくやわらかくした　バターおおさじ９はい
しお３つまみを
きみのはいったボウルにいれたら
しろっぽくなるまで　木《き》べらでよくまぜる。
そこに
牛乳《ぎゅうにゅう》１／２カップ　薄力粉《はくりきこ》２カップ
ベーキングパウダー１ふくろ（１０ｇ）
を木《き》べらでかきまぜながら　いれる。

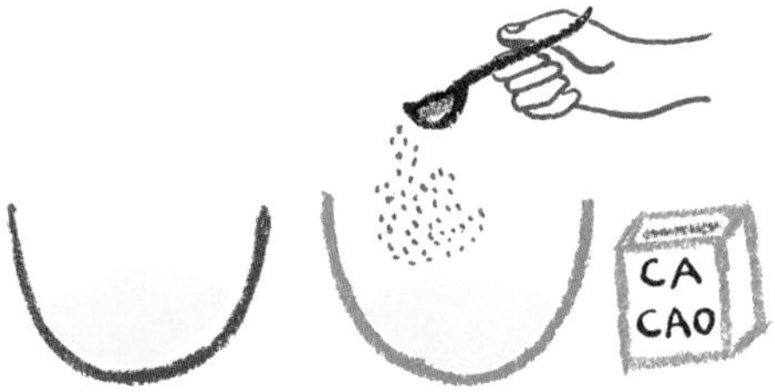

型《かた》にバターおおさじ１ぱい　ぬったら
さとう　おおさじ１ぱい
まんべんなく　まぶしておく。

オーブンは２１０度《ど》にあたためておこう。

あわだて器《き》で　しろみをモコモコのゆきみたいに　かたくあわだてたら
さっきのきじに　すこしずついれて　木《き》べらでまぜる。
べつのボウルに　きじのはんぶんをいれて
ココアパウダーおおさじ２はい
いれたら　木《き》べらでまぜる。

２つのきじを　かわりばんこに
おおさじ１ぱいずつ
なくなるまで　型《かた》にいれよう。
（マーブルもようをつくる）

オーブンで５０ぷん　やくよ。

てを　あらおう

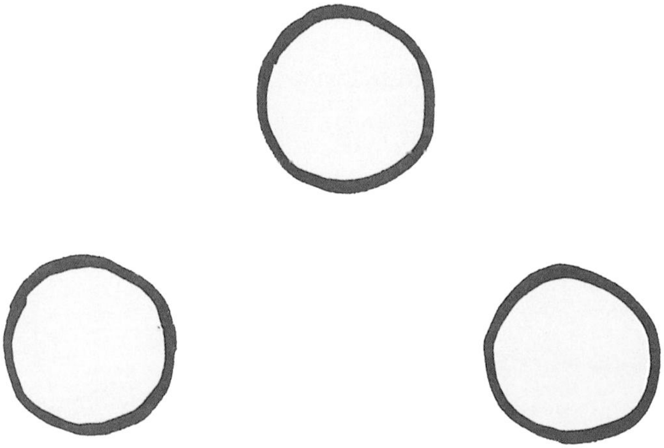

TAILLE DES BOULETTES

ボールのサイズ

Biscottins (15)

ビスコタン
～オレンジのはなのかおりのビスキュイ
（１５コぶん）

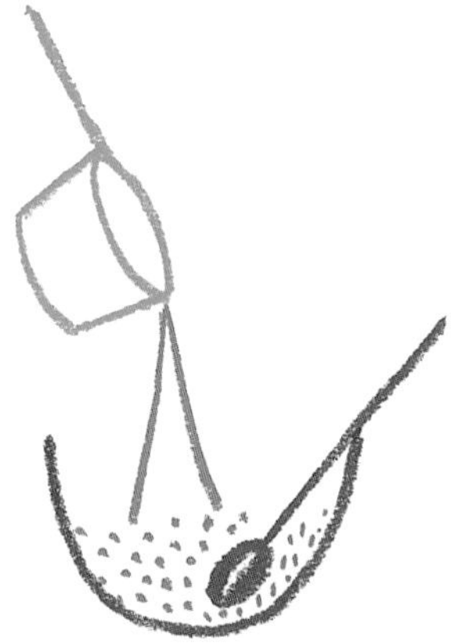

水《みず》１／３カップ
さとう３／４カップ
しお３つまみ
いれたなべを　強火《つよび》にかける。

おおきなボウルに
薄力粉《はくりきこ》２カップ
オレンジフラワーウォーターこさじ１／２ぱい
さっき　なべでとかしておいた　シロップをいれたら
木べらでよくまぜる。

オーブンは２１０度《ど》にあたためておこう。

天板《てんばん》にバターおおさじ１ぱい　ぬっておく。

きじを　ちいさめのスプーンですくって
りょうてのあいだで　ころがして
ちいさなボールをつくったら
天板《てんばん》のうえにならべる
……を　きじがなくなるまで　くりかえそう。

水《みず》でぬらした　はけで
きじをシュッとなでてね。

オーブンで２５ふん
やいたら
できあがり。

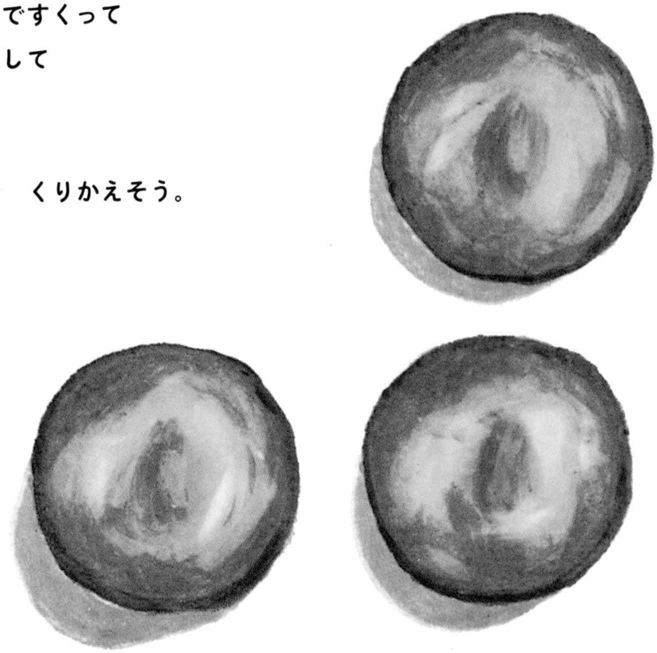

できたら　型《かた》の底《そこ》にあぶらをぬるかわりに
オーブンシートをしいてから　ヌガーをいれてね

si possible, au lieu d'huile
tapissez le fond du moule avec

une feuille de pain azime
puis couvrez-en le nougat

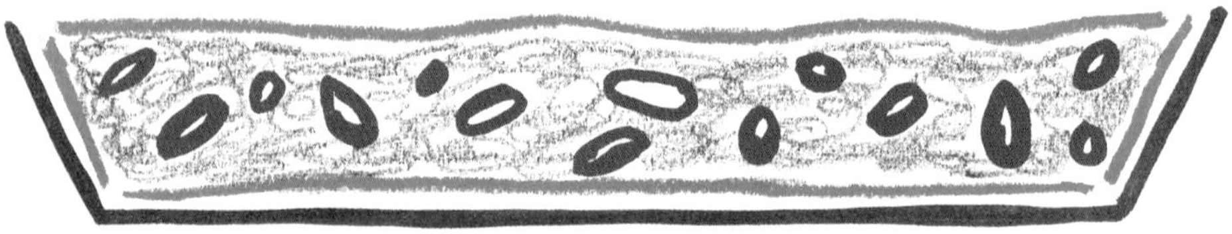

plus vous
laissez bouillir
le sucre, plus
le nougat sera dur

さとうを　にれば　にるほど
ヌガーの　しあがりは
かたくなる

Nougat blanc (18 barres)

しろいヌガー（１８ほんぶん）

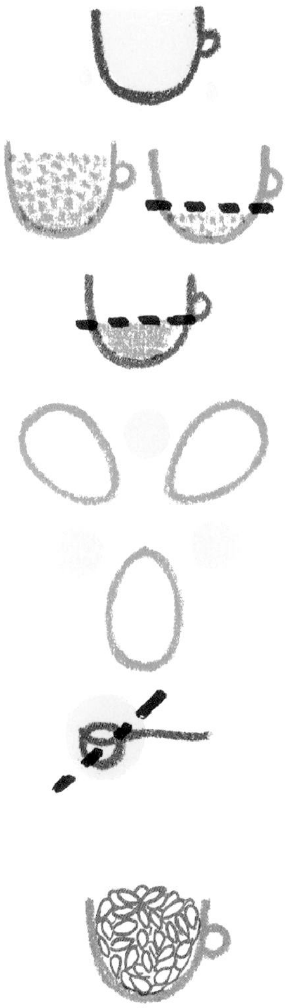

ふたつのなべを　ひとつは強火《つよび》
ひとつは弱火《よわび》　いっぺんに　かける。

弱火《よわび》のなべには　はちみつを１カップ
強火《つよび》のなべには　さとう１と１／４カップ
みず１／２カップ
しお３つまみ　いれる。

たまご３コの　しろみときみをわけて
しろみは　おおきなボウルに
きみは　あとでナポリふうケーキをつくるのに
こざらのうえに　とっとこう。

しろみを　モコモコのゆきみたいに　すごくかたくあわだてよう。

サラダオイルおおさじ１／２ぱい
型《かた》にぬる（型《かた》のサイズは　たて２５センチ　よこ３０センチくらい）。

とかしておいた　はちみつを　おおきいほうのなべにいれたら
うんと火《ひ》をおとして　とろ火《び》で１０ぷん　にる。
そこにモコモコのゆきみたいにした　しろみをいれて
あわだて器《き》で２ふんかん　もういっぺんあわだてたら
粒《つぶ》アーモンド１カップいれて　木《き》べらでまぜる。

まぜたものを　オイルをぬった型《かた》に
ながしこんだら　さめるのをまって
スティックのかたちに　きろう。

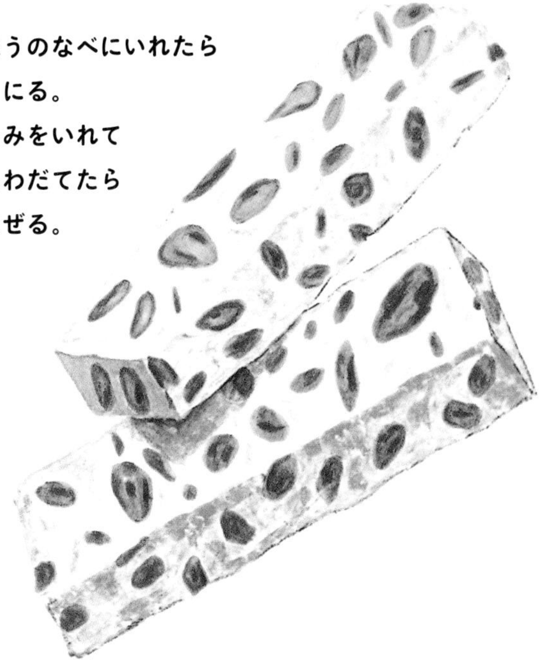

いちご

プラム

vous pouvez mettre une confiture
différente entre chaque tranche.

いちまいごとに　ちがったコンフィチュールを
ぬってもいいよ

Gâteau Napolitain (4 pers)

ナポリふうケーキ（よにんぶん）

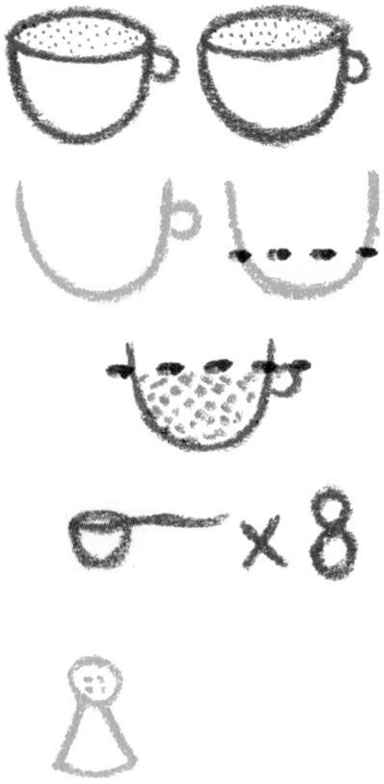

おおきなボウルに
薄力粉《はくりきこ》２カップ
アーモンドプードル１と１／４カップ
さとう３／４カップ
バターおおさじ８
たまごのきみ３コぶん（しろいヌガーでとっといたやつ）
しお３つまみ　をいれて
てでよくまぜて　ボールをつくる。

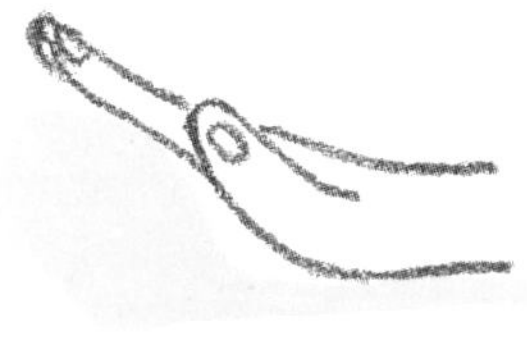

（打《う》ち粉《こ》をふった）テーブルにきじをおいて
おやゆびのつけねとテーブルのあいだで
きじをすこしずつ　つぶす。

petit à petit
すこしずつ

もういっぺん　ボールのかたちに　まるめたら
打《う》ち粉《こ》を　こまめに　ふりながら
この厚《あつ》さになるまで　めん棒《ぼう》でのばそう。

きじのうえにこざらをおいたら
ナイフで８まい　まるくきる。
（きじがたりなくなったら
またまるめて　めん棒《ぼう》でのばして
８まいぶん　つくろう）

オーブンは１８０度《ど》にあたためておこう。

まるくきった　きじを天板《てんばん》において
２５ふん　やく。

コンフィチュールおおさじ１ぱいずつ
きじのあいだにぬって　かさねたら
ケーキぜんたいに　こなざとうをふってね。

料《りょう》理《り》をするときは
かならずエプロンを
つけよう

プディングは
型《かた》から　はずさない

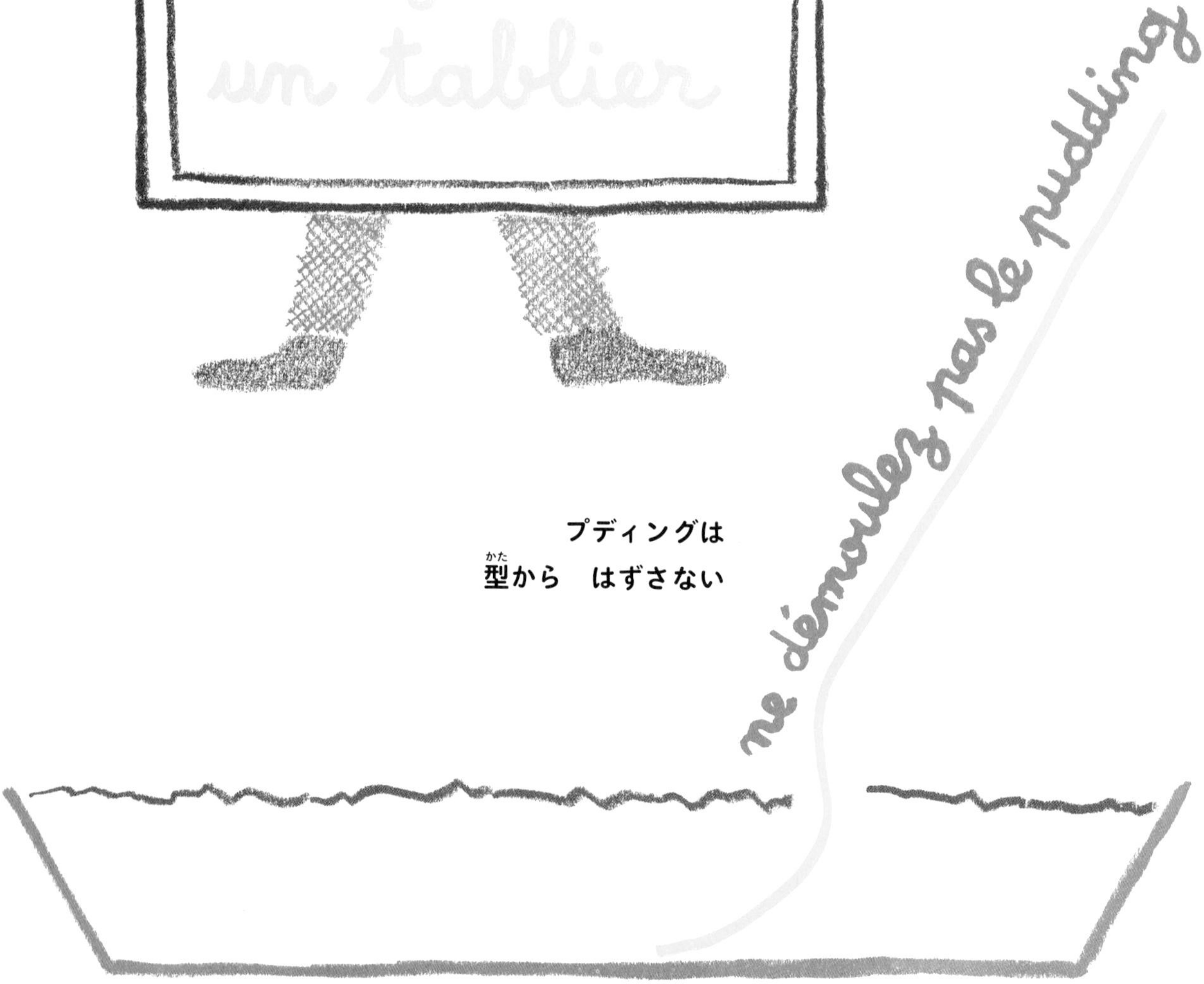

Pudding au riz (4 pers)

おこめのプディング（よにんぶん）

牛乳《ぎゅうにゅう》３と１／２カップ
おこめ３／４カップ
しお３つまみ　いれたなべを　強火《つよび》にかける。

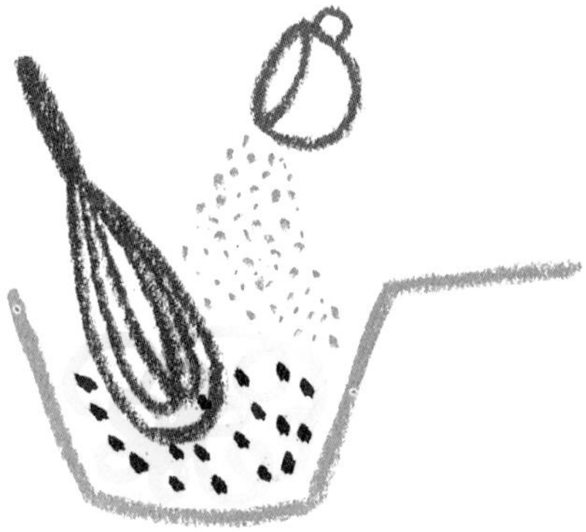

ちいさなボウルに
たまご１コ　ラム酒《しゅ》おおさじ２はい
をいれて　あわだて器《き》で　よくまぜる。

なべの牛乳《ぎゅうにゅう》が　ぐつぐつ　ふっとうしたら
ドライレーズン１カップ
さとう１／３カップ　をいれて
薄力粉《はくりきこ》１／４カップ　をふりまきながら　またいれて
バターおおさじ１ぱい　もいれて
あわだて器《き》で　よくまぜる。

火《ひ》をとめて　あわだてておいた　たまごをいれて
あわだて器《き》で　よくまぜる。

オーブンは１８０度《ど》にあたためておこう。

型《かた》のうちがわに　バターおおさじ１ぱい　ぬって
なべのなかみを　型《かた》にいれて
オーブンで３５ふん　やいたら
できあがり。

ポイント！　フランスではおこめをデザートにつかうの？

このレシピをみて「えっ！？　おこめを牛乳《ぎゅうにゅう》でにるの？？」とびっくりした人《ひと》もいるかもしれないね。おこめはしょっぱいものとたべるイメージがあるとおもうけど、たとえば日本《にほん》の“おはぎ”も餅米《もちごめ》っていうおこめでつくる甘《あま》いデザートだよね。フランスではおこめはやさいのひとつだとみなされていて、こんなふうにデザートにもつかわれるんだ。

ちっちゃなパンに
きりこみを　いれて
バターを　ぬろう

ouvrez
les petits pains
et
tartinez-
les
de
beurre

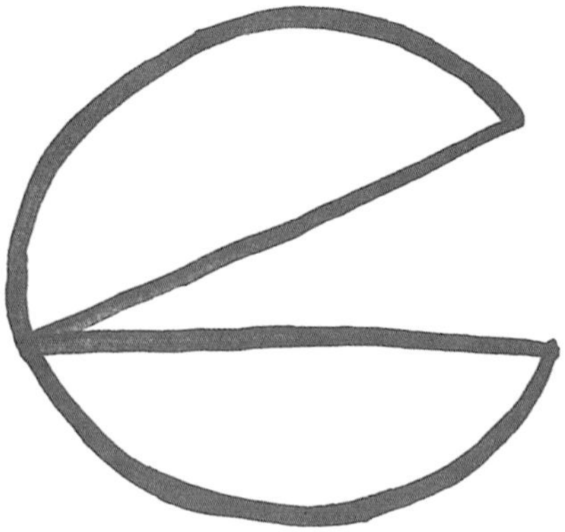

MANGEZ
CHAUD

あつあつのうちに
めしあがれ

Petits Pains Rolls (12)

プチ・パン・ロール（１２コぶん）

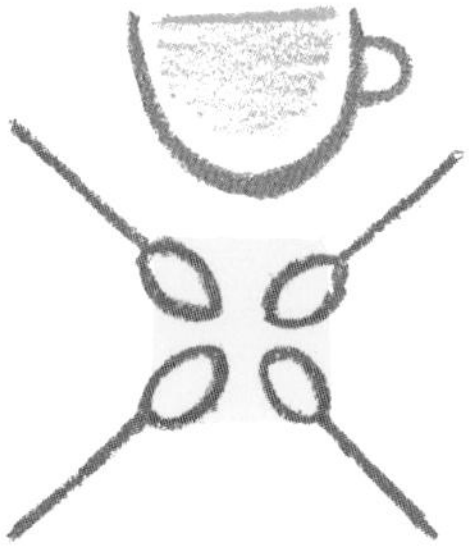

牛乳《ぎゅうにゅう》１カップ
バターおおさじ４はい
いれたなべを　弱火《よわび》にかける。

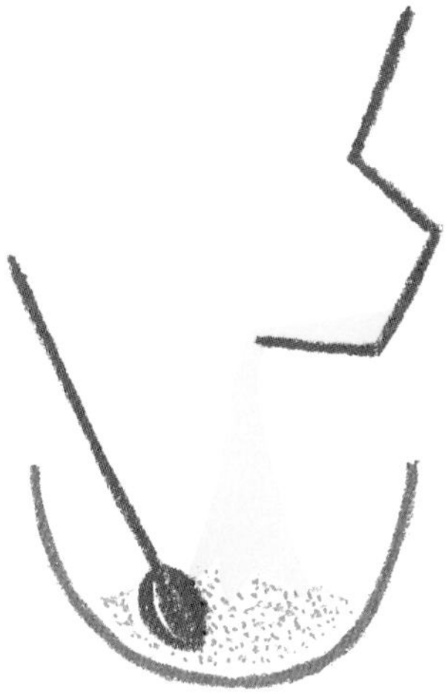

おおきなボウルに
薄力粉《はくりきこ》２カップ
ベーキングパウダー１ふくろ（１０g）
しお　こさじ１ぱい
いれておく。

なべのなかみを　ボウルにいれて
木べらで　よくまぜる。

オーブンは２４０度《ど》にあたためておく。

強力粉《きょうりきこ》（なかったら薄力粉《はくりきこ》でもいい）を
おおさじ２はい　おさらにいれておこう。

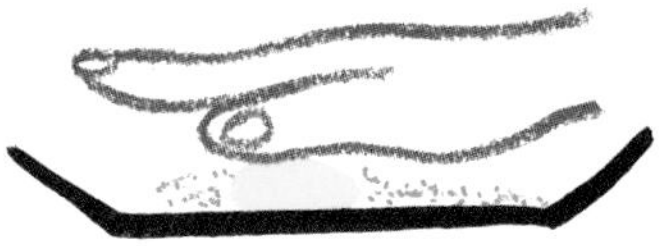

きじを　たっぷりおおさじ１ぱい
スプーンですくったら　おさらにおとして
てのひらの　くぼみを　つかって
粉《こな》のなかで　まるめて　ボールをつくろう。

型《かた》のなかにボールをいれる
……を１２かい　くりかえしてね。

オーブンで３０ぷん　やく。

１２コできる型《かた》

ajoutez
les jaunes d'oeuf

HORS DU FEU

たまごのきみは
火《ひ》からおろして
いれること

pour qu'ils ne **cuisent** pas

きみに火《ひ》を　とおさないためなんだ

Gâteau Chocolat (6 pers)

ガトー・ショコラ（ろくにんぶん）

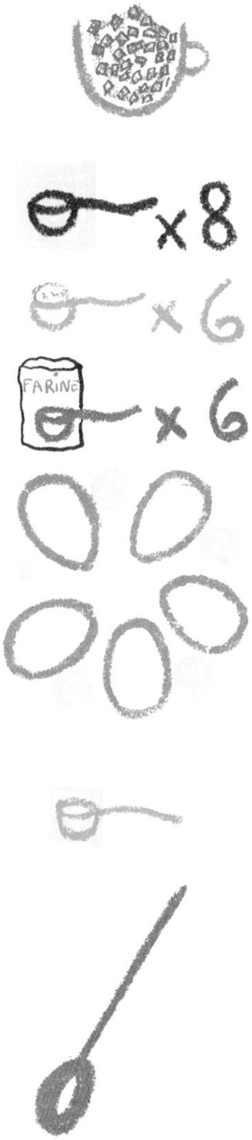

製菓用《せいかよう》のチョコレートを　ちいさく
くだいたやつ　やまもり１カップ
バターおおさじ８はい
さとう　おおさじ６ぱい
薄力粉《はくりきこ》おおさじ６ぱい
しお３つまみ
いれたなべを　弱火《よわび》にかける。

たまご５コの　しろみときみをわけて
しろみは　おおきなボウルに
きみは　おさらのうえにとっとこう。

バターおおさじ１ぱい　型《かた》にぬっておく。

木《き》べらで　かきまぜながら
火《ひ》にかけておいた　なべのなかみを
とかしたら　火《ひ》からおろす。

オーブンは２１０度《ど》にあたためておこう。

木《き》べらでまぜながら　おさらにとっといた
たまごのきみを　なべにいれる。

しろみをモコモコのゆきみたいに　かたくあわだてたら
すこしずつ　なべにいれて　なかみとまぜる。

きじを型《かた》にいれて
オーブンで４０ぷん　やこう。

ページをめくって！

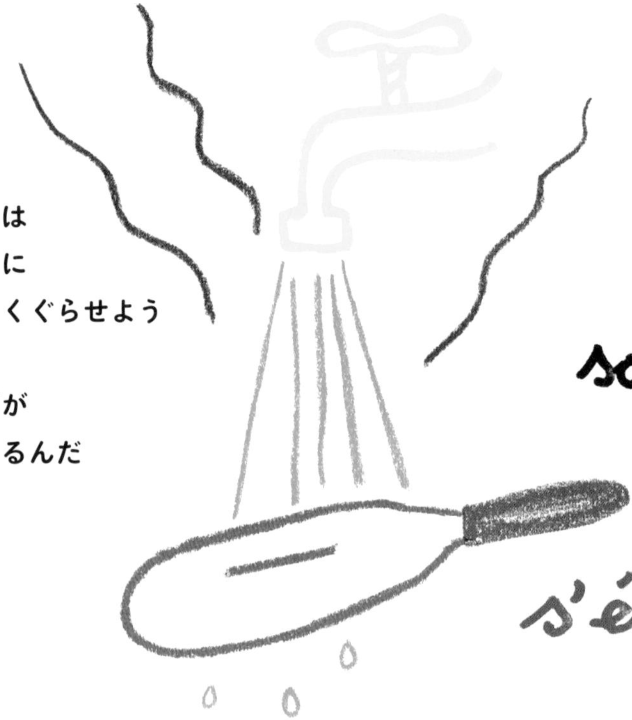

スパチュラは
あついおゆに
シュッと　くぐらせよう

アイシングが
しやすくなるんだ

passez
la spatule
sous l'eau chaude
le glaçage
s'étalera mieux

トゥールーズの
すみれを
ケーキに
かざるとすてき

décorez
le gâteau
de Violettes
de Toulouse

Glaçage au chocolat

ガトー・ショコラようのアイシングソース

製菓用《せいかよう》のチョコレートを　ちいさく
くだいたやつ１／２カップ
水《みず》おおさじ２はい
いれたなべを　弱火《よわび》にかけて
チョコレートが　とけたら
火《ひ》を　とめておく。

バターおおさじ４はい
こなざとう　おおさじ４はい
をさっきのなべに　いれて
木《き》べらで　よくまぜたら
さめるまで　ほっとこう。

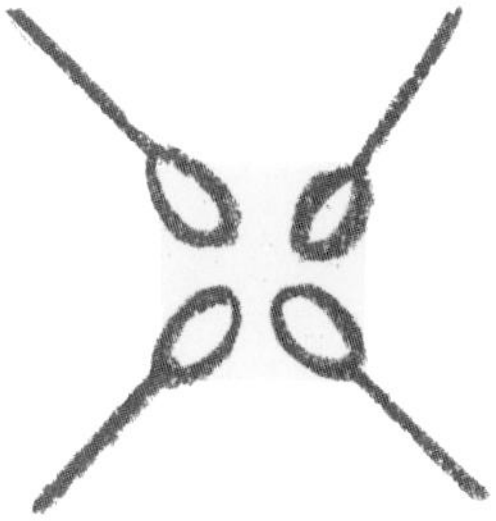

ガトー・ショコラがやけたら
アイシングソースをかけて
スパチュラでまんべんなく　のばして
ケーキに　おけしょうだ。

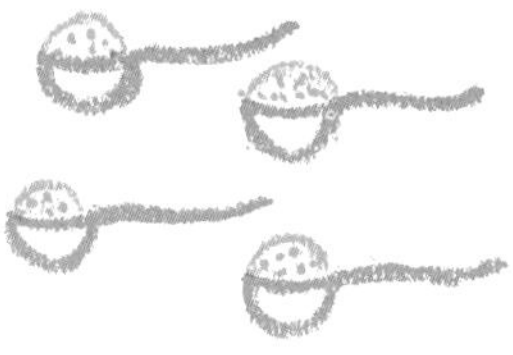

こなざとうは
きめのこまかな
ものでなくちゃ

ポイント！
いいかおりでゆうめいなトゥールーズのすみれ

フランスの南《みなみ》にあるまち・トゥールーズは、すみれの花《はな》が特産品《とくさんひん》。かおりがいいことでゆうめいで、すみれをつかったキャンディーやチョコレート、それに香水《こうすい》やせっけんなんかのおみやげが、たくさんのお店《みせ》にずらりとならんでいるんだ。さとう漬《づ》けやコンフィチュールにしたすみれを、フランスではお菓子《かし》づくりによくつかうよ。

batter
la pâte

きじを
バタンバタン
こねよう

recouvrez-la
d'un linge

こねたら
ふきんを　かぶせてね

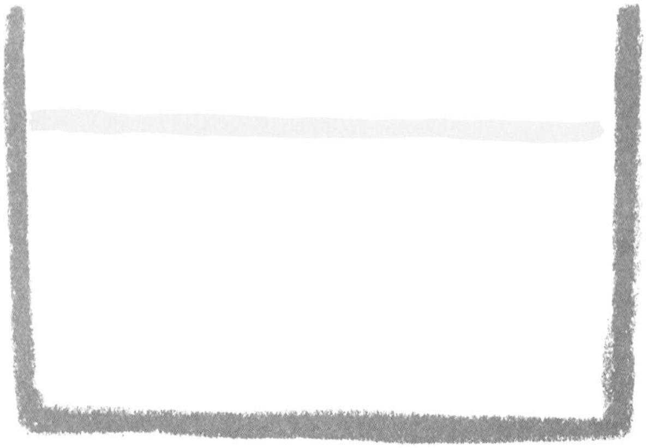

taille
de la cocotte

ココット皿《ざら》のサイズ

Enormes Brioches (5)

もくもくブリオシュ（5コぶん）

牛乳《ぎゅうにゅう》1／2カップ　いれたなべを
とろ火《び》にかける。

おおきなボウルに
ドライイーストやまもりおおさじ１ぱい
をいれたら
火《ひ》にかけておいた　牛乳《ぎゅうにゅう》をいれて
木《き》べらで　まぜる。

そこに
強力粉《きょうりきこ》２カップ
（あったかいところに　ほっといて）
やわらかくしたバターおおさじ９はい
たまご２コ
しお３つまみ　いれたら
りょうてで　５ふんかん
きじをすくっては　おとして
よく　こねる。

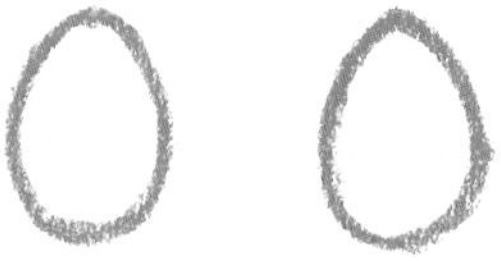

６じかん　きじをやすませよう。

オーブンを１８０度《ど》にあたためておこう。

きじをココット皿《ざら》の３／４の
たかさまで　つめて
オーブンで３５ふん　もくもくに　やく。

牛乳《ぎゅうにゅう》はほんのちょっと
あったかいくらい

ポイント！　ココット皿《ざら》ってなあに？

ココット皿《ざら》はフランス語《ご》で、オーブン料理《りょうり》につかえるちいさな耐熱《たいねつ》のうつわのこと。ふかさがあるから、なかにいれたざいりょうによく熱《ねつ》がつたわって、みじかいじかんでもおいしくやけるんだよ。

mettez toujours
une pincée de SEL
dans tous les gâteaux

ケーキをおいしくつくるコツは
いつも１つまみのしおを　きじに　いれること

le sucre
doit fondre
dans le
chocolat

さとうはチョコレートの
なかで　とかさなきゃ
ダメだよ

Glissade (2 pers)

グリサード〜なめらかチョコレートムース（ふたりぶん）

たまご２コの　しろみときみをわけて
しろみは　おおきなボウルに
きみは　おさらのうえに　とっとこう。

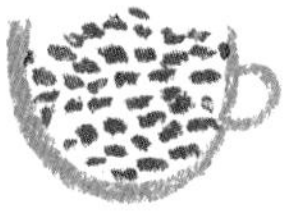

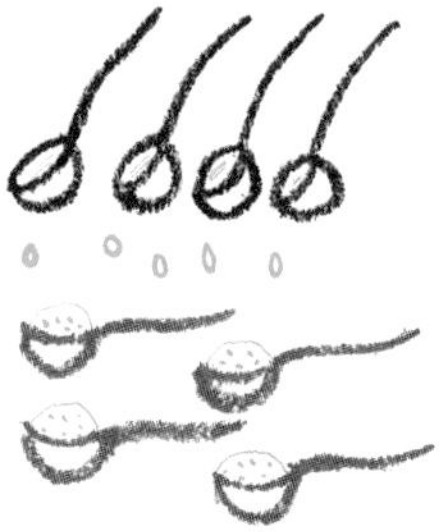

製菓用《せいかよう》のチョコレートを　ちいさく
くだいたやつ１カップ
水《みず》おおさじ４はい
さとう　おおさじ４はい
バターおおさじ６ぱい
しお１つまみ
いれたなべを　とろ火《び》にかける。

しろみをモコモコのゆきみたいに　すごくかたく　あわだてる。

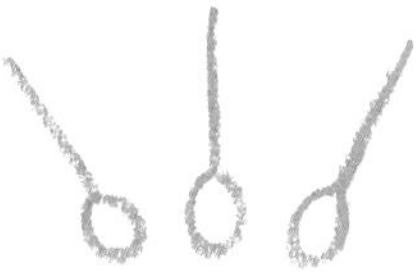

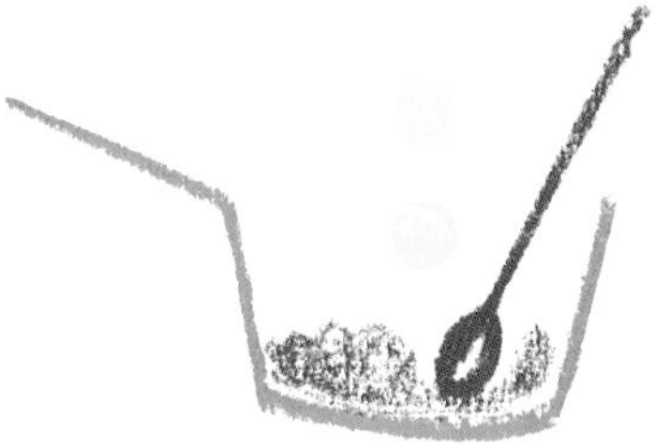

チョコレートが　とけたら
火《ひ》からおろして
きみ２コを　なべにいれて
木《き》べらで　よくまぜる。

あわだてたしろみを　すこしずついれて
（さっくり）まぜる。

２つのうつわに　こんもりもって
よくひやして　めしあがれ。

GRAND CONCOURS D’ALPINISME

登《と》山《ざん》大《たい》会《かい》

taille des rochers

岩《いわ》のサイズ

Rochers Noix de coco

ココナツ岩《いわ》

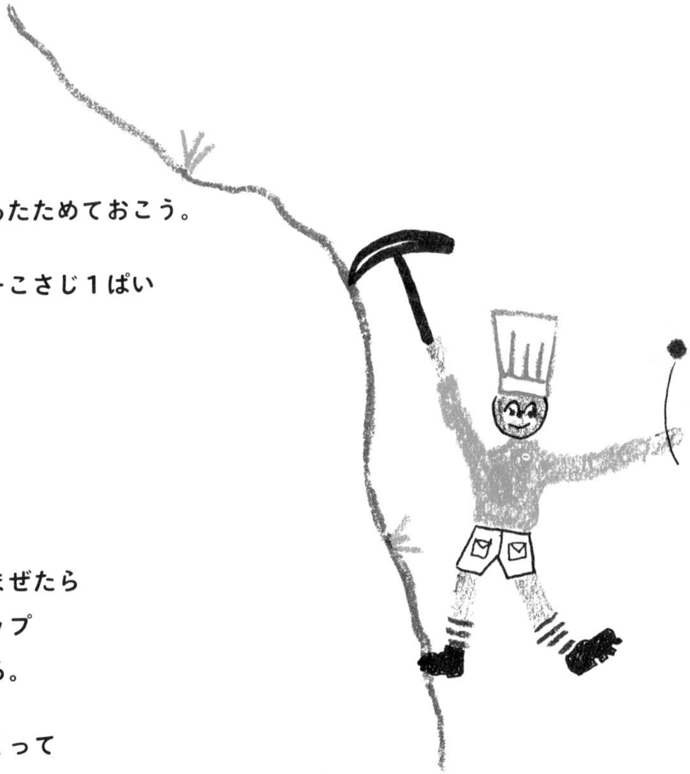

オーブンを２４０度《ど》にあたためておこう。

ちいさな天板《てんぱん》に　バターこさじ１ぱい
ぬっておく。

おおきなボウルに
さとう１カップ
たまご１コ
しお１つまみ
いれて　木《き》べらでよくまぜたら
ココナツプードル２カップ
いれて　てでよくまぜる。

さんかくの岩《いわ》を７コつくって
バターをぬった天板《てんぱん》のうえに　おいたら
オーブンで１３ぷん　やこう。

tailladez
le dessus de la pomme

りんごの　ひょうめんに
きりこみを　いれる

型《かた》にいれたまま　サーブしてね

Biscuit aux Pommes (6 pers)

りんごのビスキュイケーキ（ろくにんぶん）

型《かた》にバターおおさじ１ぱい　ぬったら
さとうおおさじ１ぱい　まんべんなく　まぶしておく。

ぴかぴかのりんご２コの　皮《かわ》をむいて
４つわりにしたら　しんを　きりとろう。

４つわりにしたりんごの　ひょうめんに
こまかく　きりこみをいれたら
（きりこみを　うえにして）
型《かた》にならべる。

牛乳《ぎゅうにゅう》１カップ　いれたなべを
弱火《よわび》にかける。

おおきなボウルに
薄力粉《はくりきこ》１と１／２カップ
さとう３／４カップ
ベーキングパウダー１ふくろ（１０ｇ）
たまご１コ
しお２つまみ
ラム酒《しゅ》おおさじ１ぱい　いれたら
あわだて器《き》で　よくまぜながら
あつあつの牛乳《ぎゅうにゅう》を　すこしずつ
いれる。

オーブンは２１０度《ど》にあたためておこう。

きじを型《かた》に　いれて
さとう　おおさじ２はい　ふりかけて
オーブンで４０ぷん　やいたら
できあがり。

séparez bien les petits tas
la tuile va s'étaler

それぞれのきじを　はなしてね
チュイールは　ひろがるんだ

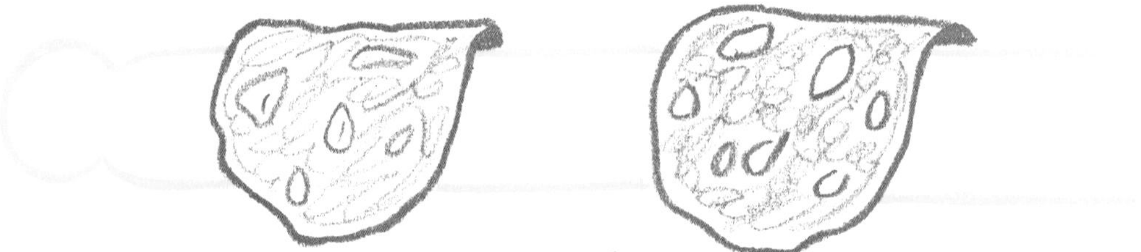

posez les tuiles chaudes sur
un manche à balai
pour les arrondir

チュイールを　まるめるために
きじがまだ　あついうち
ほうきの柄《え》（もちろんめん棒《ぼう》をつかってもいい）のうえに
のっけよう

Tuiles aux amandes (18)

アーモンドのチュイール
～フランスふうかわらせんべい（１８まいぶん）

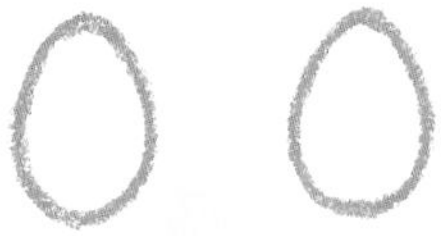

たまご２コの　しろみときみをわけて
しろみは　おおきなボウルに
きみは　おさらのうえにとっとこう。
（きみは“ひんやりバニラクリーム”をつくるときに　つかうよ）

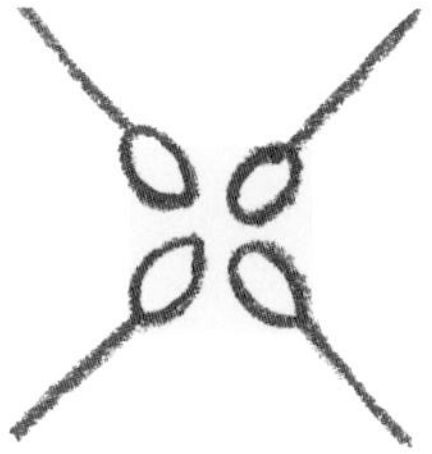

バターおおさじ４はい
いれたなべを　とろ火《び》にかける。

フォークで　しろみをあわだてるけど
モコモコのゆき　みたいなのじゃなく
ふんわり　あわだつところまで。

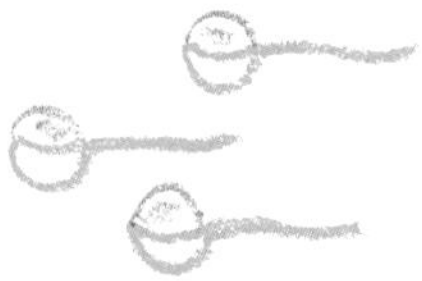

そこに
薄力粉《はくりきこ》おおさじ３ばい
さとう　おおさじ３ばい
なべで　とかしておいたバター
スライスアーモンド３／４カップ
しお２つまみ　いれたら
フォークで　よくまぜる。

オーブンは１８０度《ど》にあたためておこう。

型《かた》にサラダオイル　おおさじ１／２ぱい　ぬったら
強力粉《きょうりきこ》（なかったら薄力粉《はくりきこ》でもいい）おおさじ１ぱい
まんべんなく　まぶしておく。

きじを　こさじ１ぱい　スプーンですくったら
天板《てんばん》のうえにならべる
……を　きじがなくなるまで　くりかえそう。

オーブンで１２ふん　やく。

pour varier

vous pouvez ajouter

en même temps que la crème fraîche

4 cuillères à soupe

de

バリエーションとして
グロゼイユ（スグリの実《み》）のジュレ　おおさじ４はいを
生《なま》クリームと　いっしょにいれてもおいしいよ

Crème à la vanille (2 pers)

ひんやりバニラクリーム（ふたりぶん）

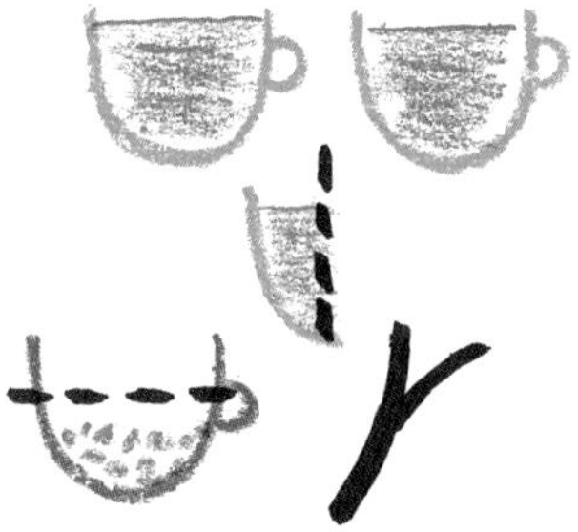

牛乳《ぎゅうにゅう》2と1／2カップ
さとう1／2カップ
バニラのさや1／2本（たてにさいてね）
いれたなべを　強火《つよび》にかける。

おおきなボウルに
かたくり粉《こ》おおさじ3ばい
（れいぞうこからだしたての）つめたい牛乳《ぎゅうにゅう》おおさじ2はい
たまごのきみ2コぶん（アーモンドのチュイールで　とっといたやつ）
をいれて　あわだて器《き》でまぜる。

そこに
なべで　あつあつに　あたためておいた牛乳《ぎゅうにゅう》をいれて
あわだて器《き》で　よくあわだてる。

まぜたやつを　もういっぺんなべにもどして
強火《つよび》にかけたら　あわだてながら　ふっとうさせる。

ざるでこしながら　ボウルにうつしたら
生クリームおおさじ4はい　いれて
あわだて器《き》で　よくまぜよう。

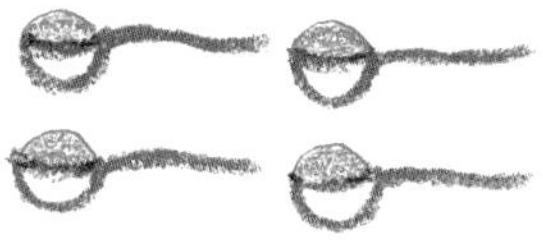

ひやひやに　つめたくして
めしあがれ。

ポイント！　グロゼイユ（スグリの実《み》）のジュレってなあに？

日本《にほん》では北海道《ほっかいどう》とか東北《とうほく》のすずしいところで栽培《さいばい》されているスグリの実《み》を、フランスではグロゼイユっていうんだ。グースベリー、カラントっていう英語《えいご》のなまえでしってる人《ひと》もいるかもしれないね。スグリの実《み》はさとうと煮《に》るとコンフィチュール（ジャム）じゃなくて、ジュレ（ゼリー）になるんだ。とうめいできれいないろのグロゼイユのジュレは、フランスでお菓子《かし》をつくるときによくつかうんだ。

roulez les fruits confits et les raisins
dans la farine

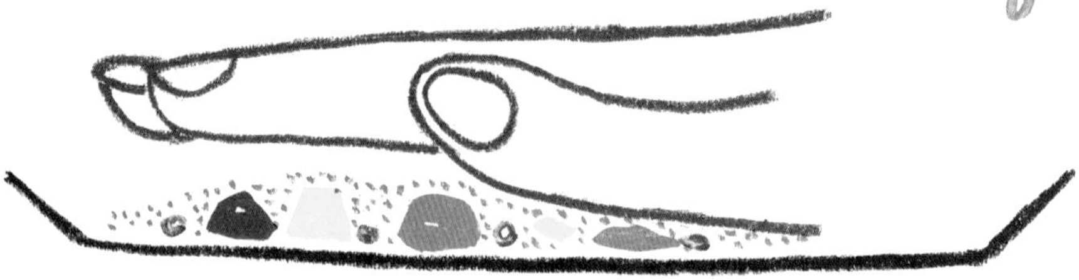

ドライフルーツとドライレーズンを
粉《こな》のなかで　ころがそう

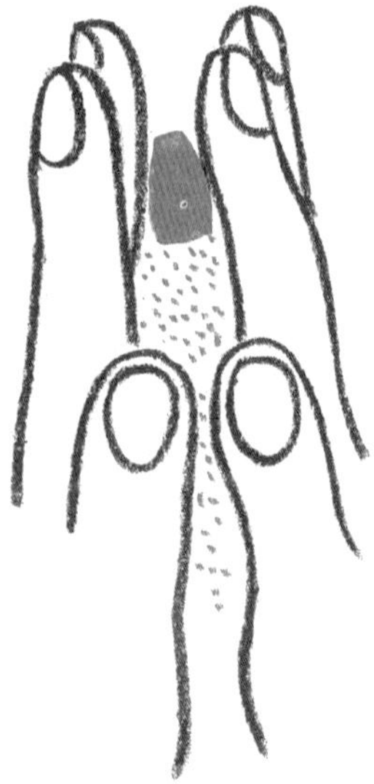

puis tapotez
entre les doigts
pour enlever
le surplus de farine

それから　てのあいだで
トントンたたいて
よぶんな粉《こな》を　おとすとね

les fruits
resteront
au milieu
du cake

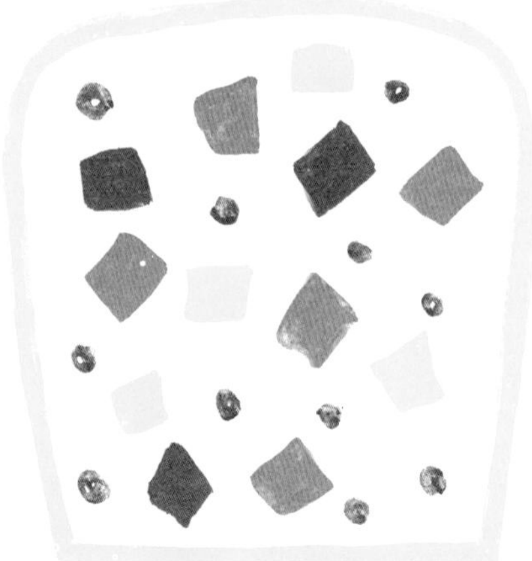

ケーキのまんなかに
いてくれるんだ
（つまり底《そこ》にしずまないってこと）

Cake Miracle (1 à 8 pers)

ミラクル・ケーキ（ひとりからはちにんぶん）

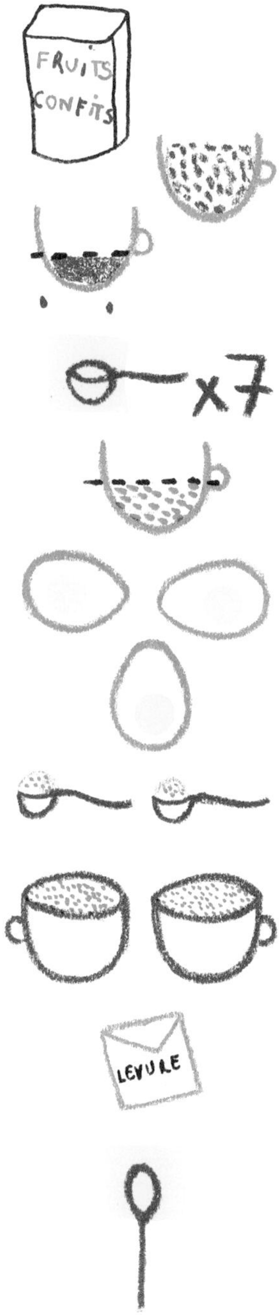

ドライフルーツ１５０ｇを　このおおきさ
にきったら
ドライレーズン１カップ
ラム酒《しゅ》１／３カップ
といっしょに
ふかめのおさらに　つけておく。

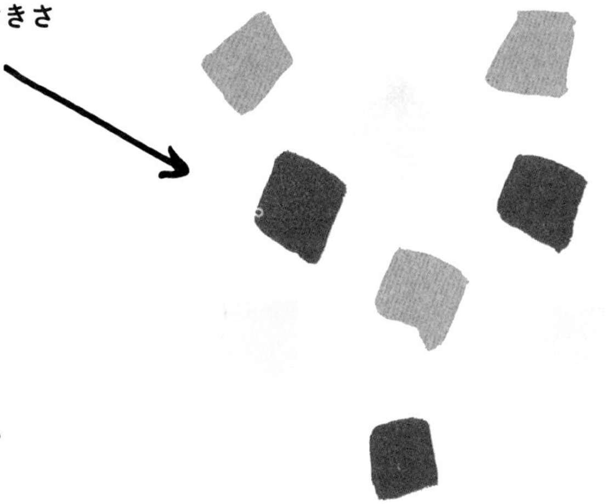

おおきなボウルに
（あったかいところに　ほっといて）
やわらかくしたバターおおさじ７はい
さとう１／２カップ
いれて　木《き》べらで　よくまぜたら
たまご３コ　しお２つまみ
いれて　またよくまぜる。

オーブンは１８０度《ど》にあたためておこう。

おさらに強力粉《きょうりきこ》（なかったら薄力粉《はくりきこ》でもいい）おおさじ２はい　いれたら
さっきラム酒《しゅ》につけといた
ドライフルーツとドライレーズンを
粉《こな》のなかで　ころがそう。

ころがしたドライフルーツとレーズン
おさらにのこったラム酒《しゅ》
（さっきフルーツをつけといたやつ）
薄力粉《はくりきこ》２カップ
ベーキングパウダー１ふくろ（１０ｇ）
をきじにいれて　木《き》べらでまぜる。

ケーキ型《がた》にバターおおさじ１ぱい　ぬったら
きじをいれて１じかん　やくと
きせきがおこるよ。

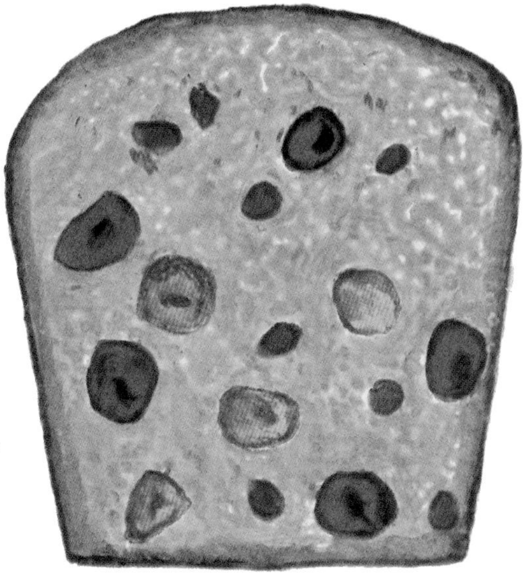

ソーセージくらいの
ふとさで
たかさは　できるだけ
こんもりと

faites les boudins
le moins large
et le plus haut
possible

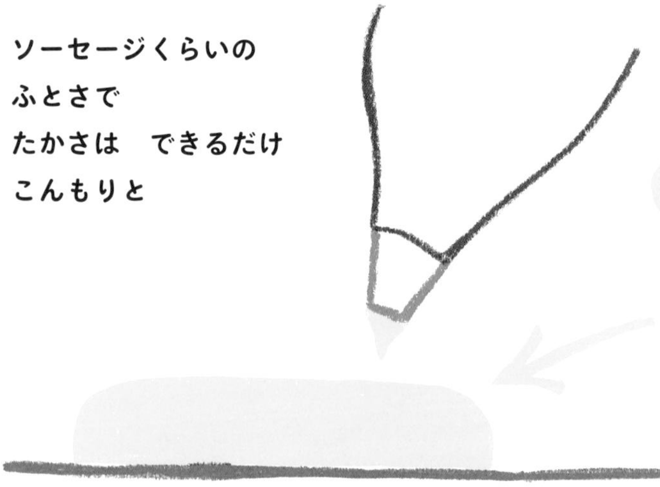

posez
une feuille
de papier
aluminium
sur la plaque

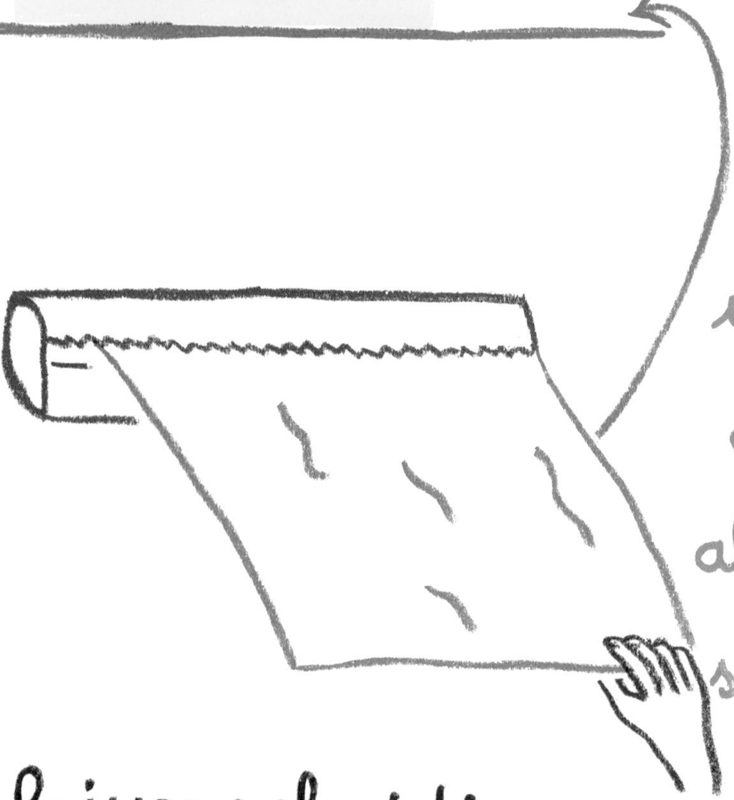

天板《てんぱん》のうえにアルミホイルを
しこう

laissez refroidir
avant de détacher les biscuits

天板《てんぱん》から　はずすのは
ビスキュイが　さめてから

Biscuits à la cuillère (30)

スプーンビスキュイ（３０コぶん）

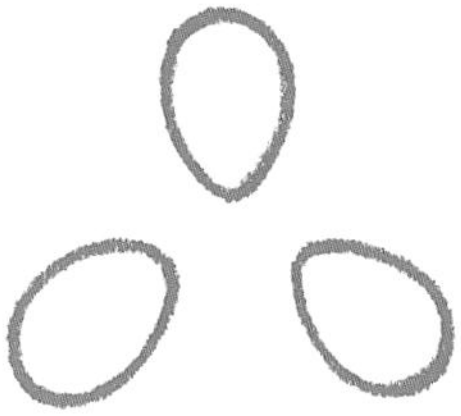

たまご３コの　しろみときみを
２つのおおきなボウルに
それぞれわけて　いれておこう。

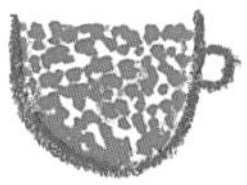

きみのボウルに　さとう１カップ　いれたら
しろっぽくなるまで
木《き》べらで　よーくまぜる。

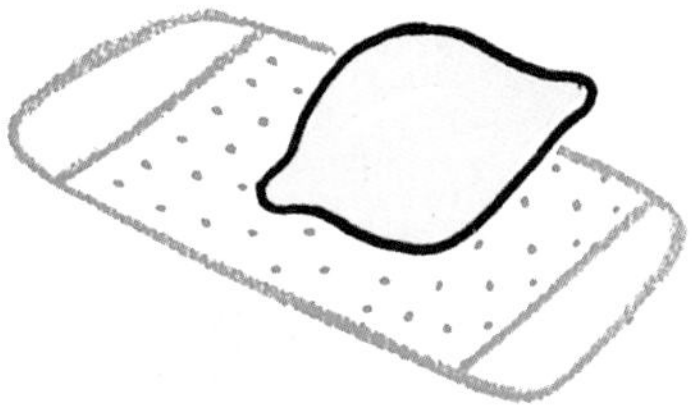

そこに
レモン１コぶんの　皮《かわ》をけずったのと
薄力粉《はくりきこ》１／２カップを　いれる（けどまぜない）。

しろみをモコモコのゆきみたいに　あわだてたら
きみのボウルに　すこしずついれて
木《き》べらで　ゆっくりていねいにまぜる。

オーブンは１２０度《ど》にあたためておこう。

しぼりぶくろに　きじをつめたら
天板《てんぱん》のうえに　ソーセージ
みたいなかたちに　しぼりだす。

オーブンで２０ぷん　やこう。

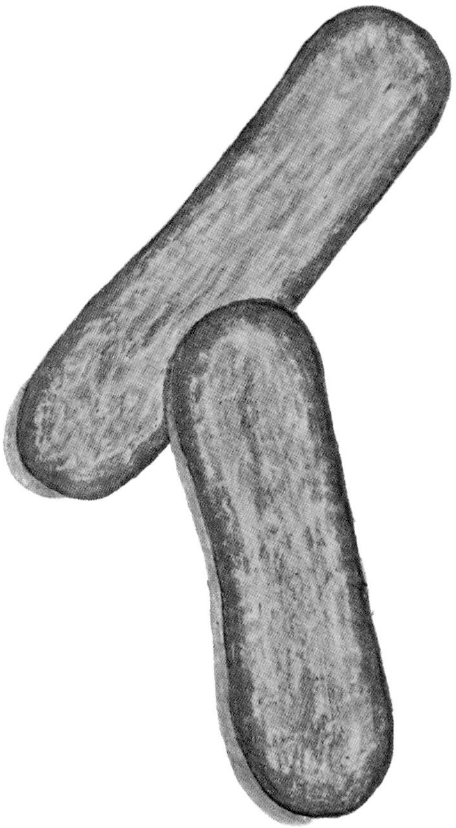

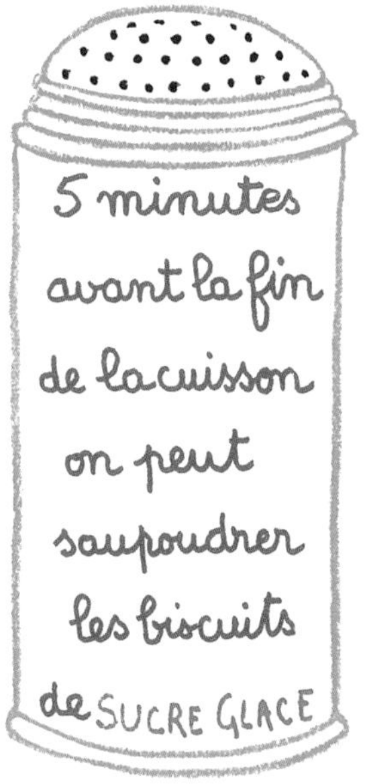

やきあがる
５ふんまえに
こなざとうを
ふりかけるのも
おすすめ

piquez le gâteau avec la fourchette

pour que

le sirop

PÉNÈTRE

à l'intérieur

シロップが　なかまでじんわり　しみこむように
フォークでケーキに　あなをあけよう

Gâteau à l'ananas (6 pers)

パイナップルのケーキ（ろくにんぶん）

型《かた》にバターおおさじ１ぱい　ぬっておく。

バターおおさじ１０ぱい　ちいさななべにいれて　とろ火《び》に　かけておく。

オーブンは２１０度《ど》にあたためておこう。

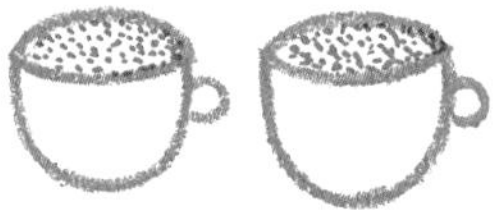

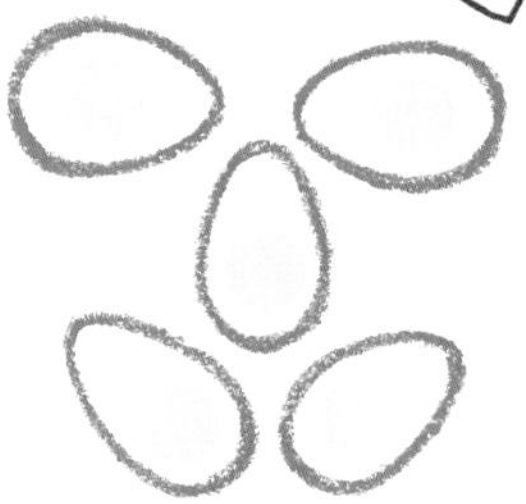

おおきなボウルに　薄力粉《はくりきこ》２カップ
さとう　やまもり１カップ
ベーキングパウダー１ふくろ（１０g）
たまご５コ　しお３つまみ
なべでとかしておいたバター
をいれて　木《き》べらでゆっくり　ていねいにまぜたら
きじを型《かた》にいれて４０ぷん　やこう。

ケーキを　やきはじめて２０ぷんたったら
パイナップルのかんづめ１コ（ふつうサイズ）あけよう。

かんづめのシロップ
さとう１カップ　水《みず》１／３カップ
いれたなべを　中火《ちゅうび》にかけたら
１５ふん　につめて
ラム酒《しゅ》１／３カップを　いれる。

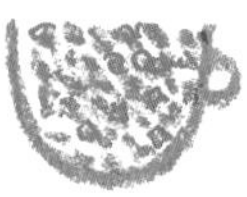

ケーキがやけたら　オーブンからだして
シロップのはんぶんを　うえからかける。
のこりはんぶんのシロップは
もういっぺん強火《つよび》にかけて　にたたせる。

（ひとくちサイズに）きったパイナップルを
ケーキのうえに　ならべたら
のこりのシロップをかけて　かんせい。

l'huile est chaude
quand elle commence
à fumer

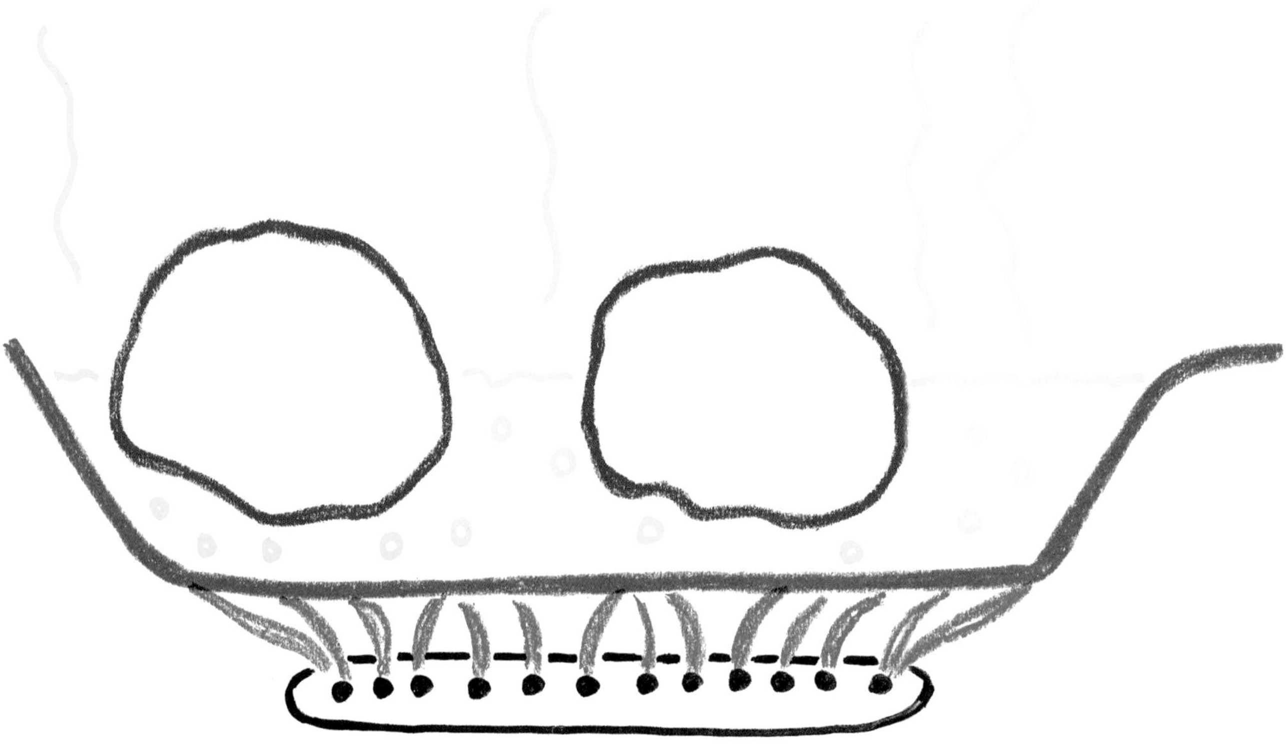

あぶらからけむりがたったら
あつくなってるしょうこだよ

Beignets soufflés (15)

ふわふわベニエ〜フランスふうドーナツ（１５コぶん）

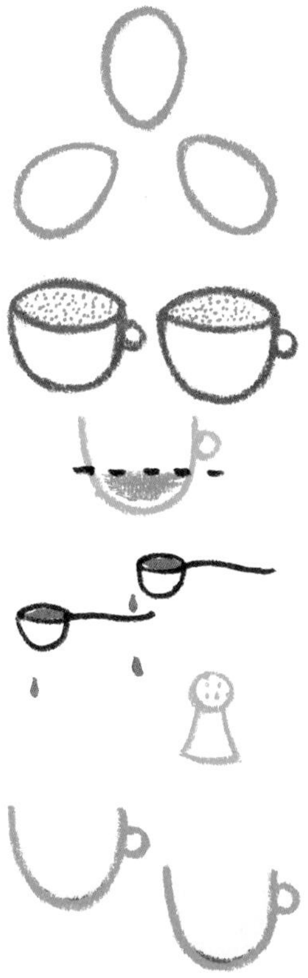

２つのおおきなボウルに
たまご３コの　しろみときみを
それぞれわけて　いれておこう。

きみのボウルに　薄力粉《はくりきこ》２カップ
ぬるま湯《ゆ》１／３カップ
ラム酒《しゅ》おおさじ２はい
しお１つまみ　いれたら
きじがまとまるまで　てでこねる。
（ゴムベラをつかってもいい）

しろみをモコモコのゆきみたいに　すごくかたくあわだてたら
きじのうえに　ながしこんで
そのまま２じかん　やすませよう。

サラダオイル２カップ
おおきなフライパンにいれて　中火《ちゅうび》にかける。

ねかせておいたきじとしろみを　木《き》べらでよくまぜる。

あぶらが　あつくなったら
きじを　おおさじ１ぱいぶん　スプーンですくって
ゆびで　すべらせながら
あぶらのなかに　そっといれる（やけどしないようにね！）
……を１５かい　くりかえそう。
（５コずつあげて３セット）

きじがふくらむまで
１ぷんずつ　りょうめんあげたら
あなあきおたまで　すくって
おさらのうえにのせておく。
さとうを　ふりかけてドレスアップ。

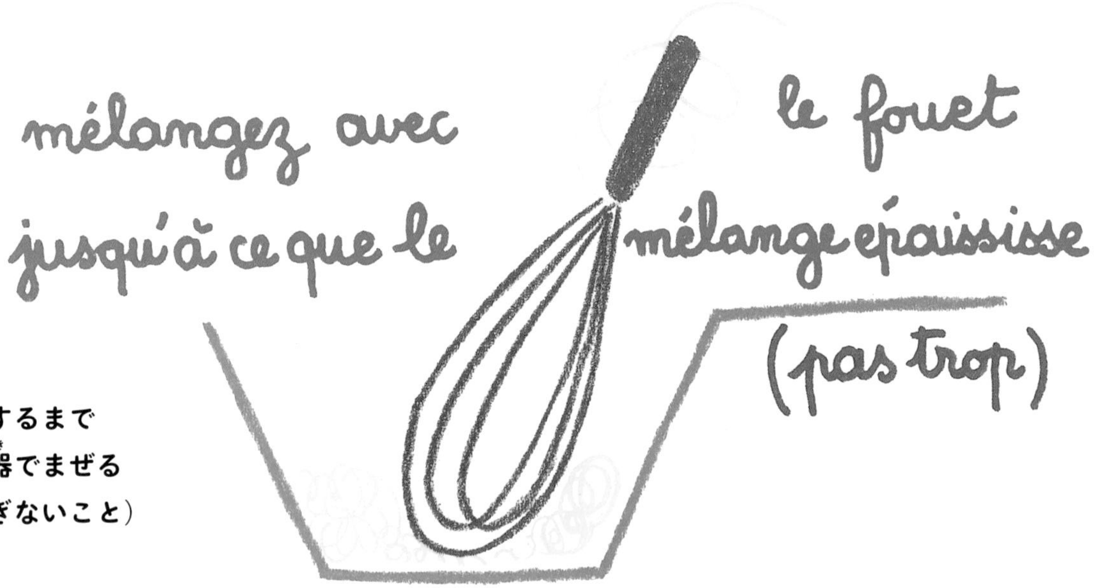

もったりするまで
あわだて器《き》でまぜる
（やりすぎないこと）

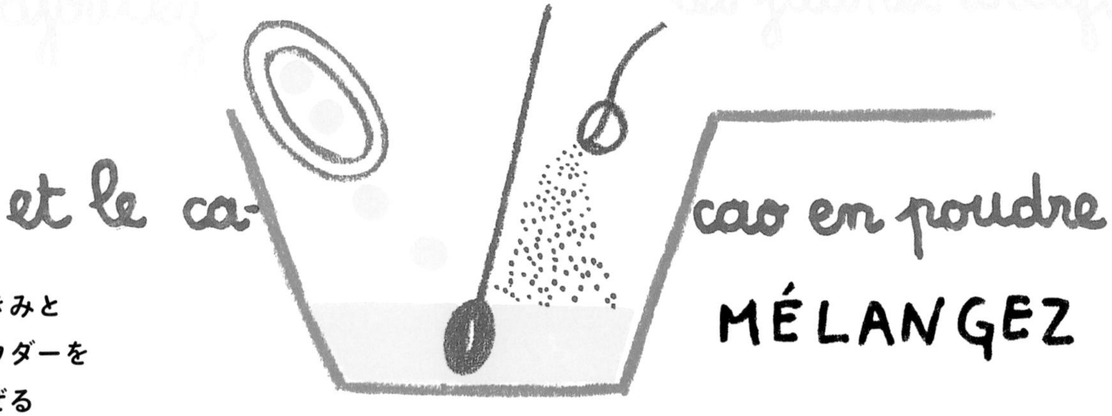

たまごのきみと
ココアパウダーを
いれてまぜる

バヒューンと　すぐにサーブすること

Soufflé au chocolat (2 pers)

チョコレートのスフレ（ふたりぶん）

スフレ型《がた》にバターおおさじ１ぱい　ぬったら
さとう　おおさじ１ぱいを　まんべんなく　まぶしておく。

たまご４コの　しろみときみをわけて
しろみは　おおきなボウルに
きみは　おさらのうえにとっとこう。

おおきななべに　薄力粉《はくりきこ》おおさじ４はい　いれて
牛乳《ぎゅうにゅう》１と１／２ぱいを　あわだて器《き》でまぜながら　すこしずついれたら
さとう１／２カップいれる。

なべを強火《つよび》にかけて
あわだて器《き》で　きじが　もったりするまで
かきまぜたら　火《ひ》をとめる。

そこにココアパウダーおおさじ６ぱい
おさらにとっといた　きみ４コをいれて
あわだて器《き》で　まぜる。

オーブンは２１０度《ど》にあたためておこう。

しろみをモコモコのゆきみたいに　すごくかたくあわだてたら
なべに　すこしずついれて
木べらで　ゆっくりていねいに　まぜる。

型《かた》にきじをいれて　オーブンで２５ふん　やく。

サーブするときに
こなざとうを
ふりかけよう

au moment
de servir
saupoudrez
le soufflé
de sucre glace.

ポイント！　スフレってなあに？

スフレとは、フランス語《ご》で「ふくらんだ」っていう意味《いみ》のことば《soufflé- スフレ》からついたなまえだよ。ゆきみたいにかたくモコモコにあわだてたしろみをいれて、ふっくらやいたお菓子《かし》や料理《りょうり》のことをいうんだ。やいたらすぐにたべないと、せっかくふくらんだスフレがペシャンコになっちゃうから、ロケットみたいなスピードでせきにつこう。

オーブンからだしたら
すぐ　しかくにきって
さめるまで　ほっとこう

en sortant du four
découpez EN CARRÉS
et laissez refroidir

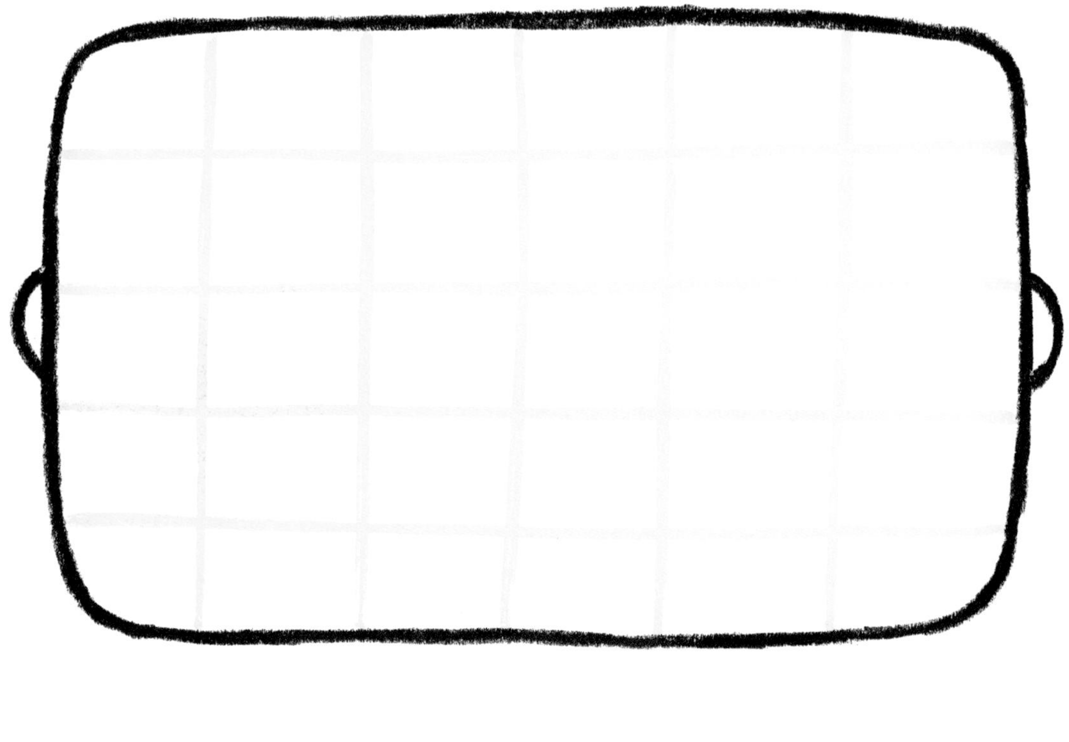

Croquets (36)

クロケ
～カリッとキューブケーキ（３６コぶん）

おおきなボウルに
たまご３コ
バニラシュガー２ふくろ（15g）
さとう１カップ
しお１つまみ
いれたら　しろっぽくなるまで
木《き》べらで　よくまぜる。

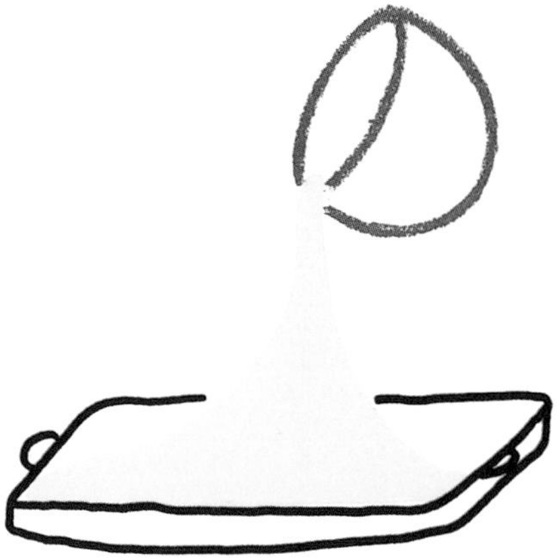

そこに薄力粉《はくりきこ》１と１／２カップ
アーモンドプードル２カップ
いれて　また木《き》べらで　よくまぜる。

オーブンは１８０度《ど》にあたためておこう。

天板《てんぱん》にバターおおさじ１ぱい　ぬって
きじを　いれよう。

オーブンで２５ふん
やいたら　できあがり。

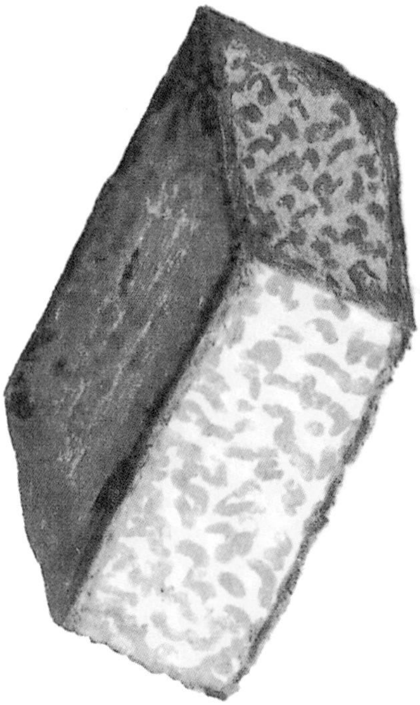

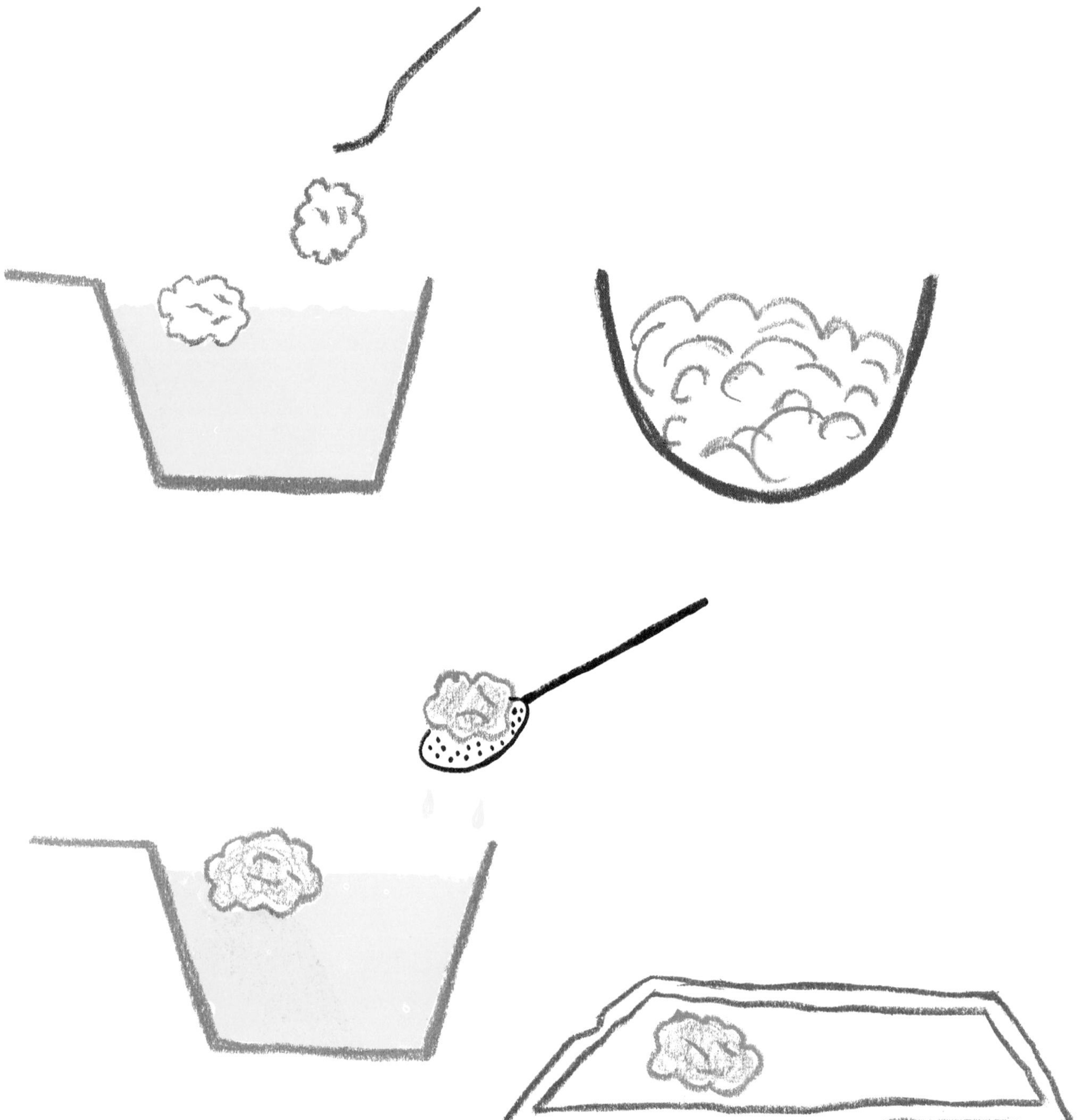

Oeufs à la neige au café (4 pers)

コーヒーふうみのウフ・ア・ラ・ネージュ（よにんぶん）

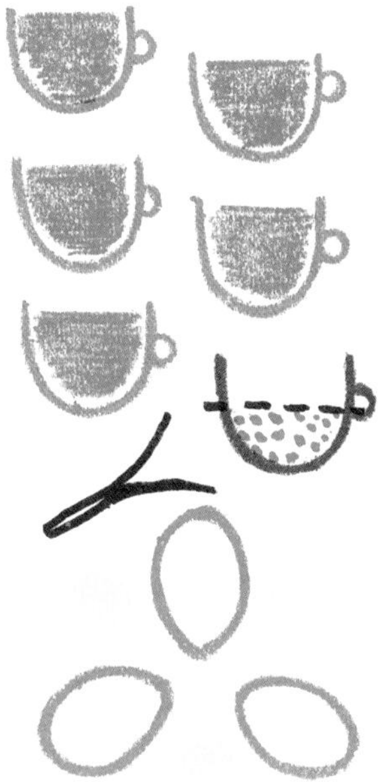

牛乳《ぎゅうにゅう》５カップ　さとう１／２カップ
バニラのさや１／２ぽん（タテにさいてね）
おおきななべにいれて　中《ちゅう》火《び》にかける。

たまご３コの　しろみときみをわけて
しろみは　おおきなボウルに
きみは　おさらのうえに　とっとこう。

しろみをモコモコのゆきみたいに　すごくかたくあわだてたら
さとう　おおさじ３を　すこしずついれてまぜる。

牛乳《ぎゅうにゅう》がわいたら
しろみを　おおさじ１ぱいぶん　スプーンですくって
ゆびでおして　牛乳《ぎゅうにゅう》のなかにいれる
……を　しろみがなくなるまで（７かい）　くりかえそう。

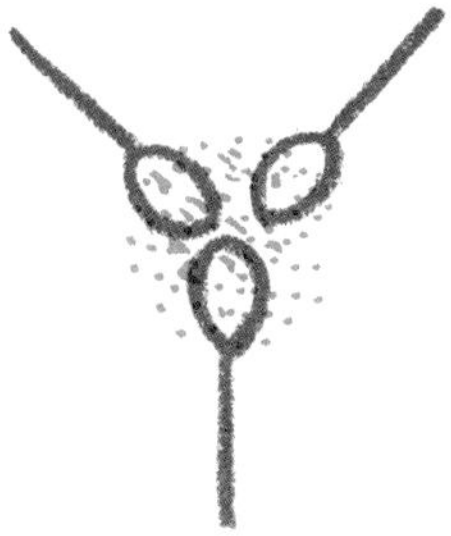

火《ひ》を弱火《よわび》におとして　そのまま３ぷんかん　ゆでる。

あなあきおたまで　しろみを　そっととりだして
せいけつなふきんの　うえにおいておこう。

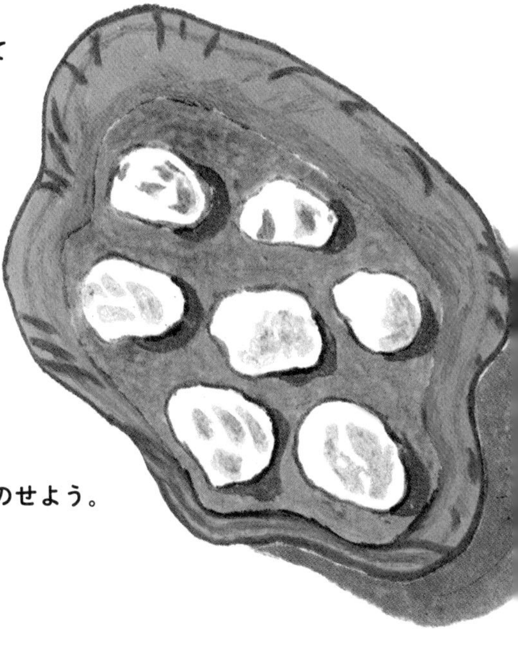

きみと　インスタントコーヒーおおさじ１ぱい
をまぜておく。

なべを　火《ひ》からおろしたら
あわだて器《き》で　まぜながら
牛乳《ぎゅうにゅう》に　さっきの　きみをいれる。

それを濾《こ》し器《き》で　こしながら
ふかめのおさらに　そそいで　ゆでたしろみをのせよう。

つめたくひやして　テーブルへ。

piquez le fond
de la tarte
avec
la fourchette

et mettez dessus
des lentilles ou
des haricots secs.

タルトの底《そこ》にフォークで
あちこち　あなをあけて
かんそうレンズまめか
だいずをいれよう

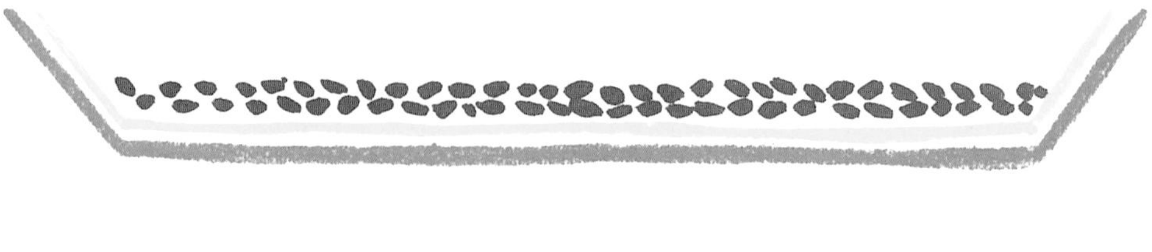

Tarte à la crème d'abricots

(4 pers)

あんずのクリームタルト（よにんぶん）

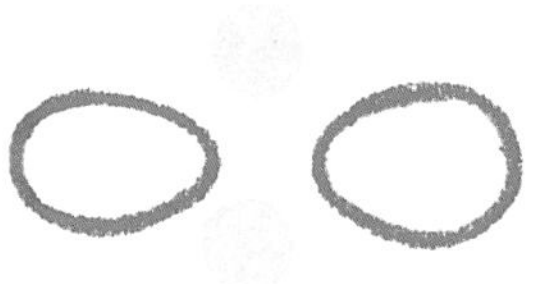

２つのおおきなボウルに
たまご２コの　しろみときみを
それぞれわけて　いれておこう。

きみがはいってるボウルに
薄力粉《はくりきこ》２カップ
さとう１/３カップ
（あったかいところにほっといて）
やわらかくしたバターおおさじ５はい
しお１つまみ　をいれて
てでよくまぜて　ボールをつくる。
（まぜにくかったら水《みず》か牛乳《ぎゅうにゅう》をすこしいれるといい）

きじはポスターみたいに
くるくるまいて
型《かた》のうえでひろげると
うまくいくよ

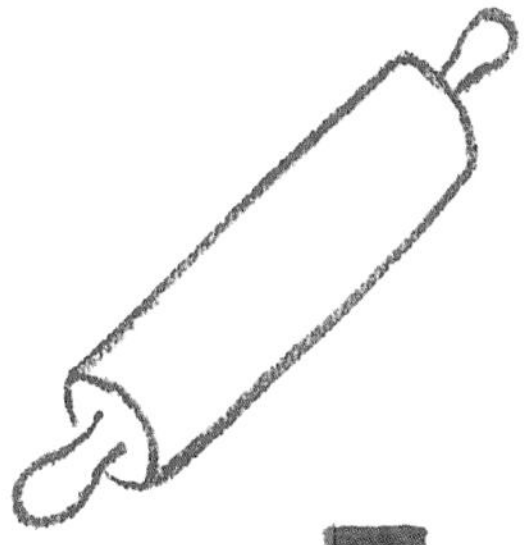

オーブンは１８０度《ど》にあたためておこう。

きじのボールを　めん棒《ぼう》でこのあつさに
のばしたら　型《かた》にしきつめて
オーブンで２５ふん　やく。

やけたら型《かた》から　はずして
おさらのうえに　おいておく。

アプリコットジャム１と１／２カップ
いれたなべを　いちばん強《つよ》火《び》にかけておこう。

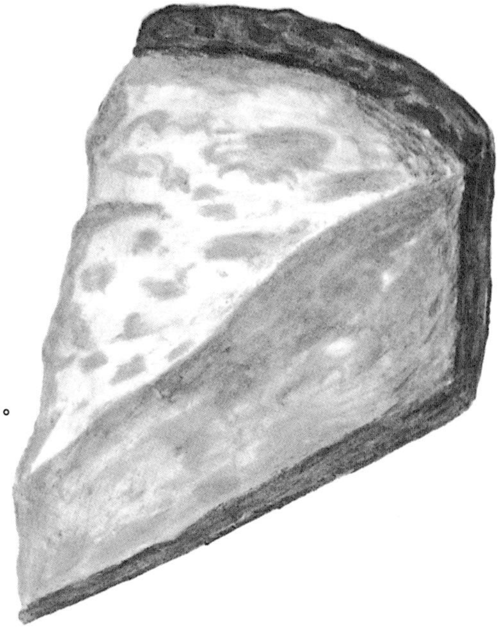

しろみをモコモコのゆきみたいに
すごくかたくあわだてたら
あわだて器《き》で　火《ひ》からおろしたジャムにまぜる。

まぜたやつを　タルトにいれたら
かんせい。

つめは
いつも　せいけつに
ととのえておこう

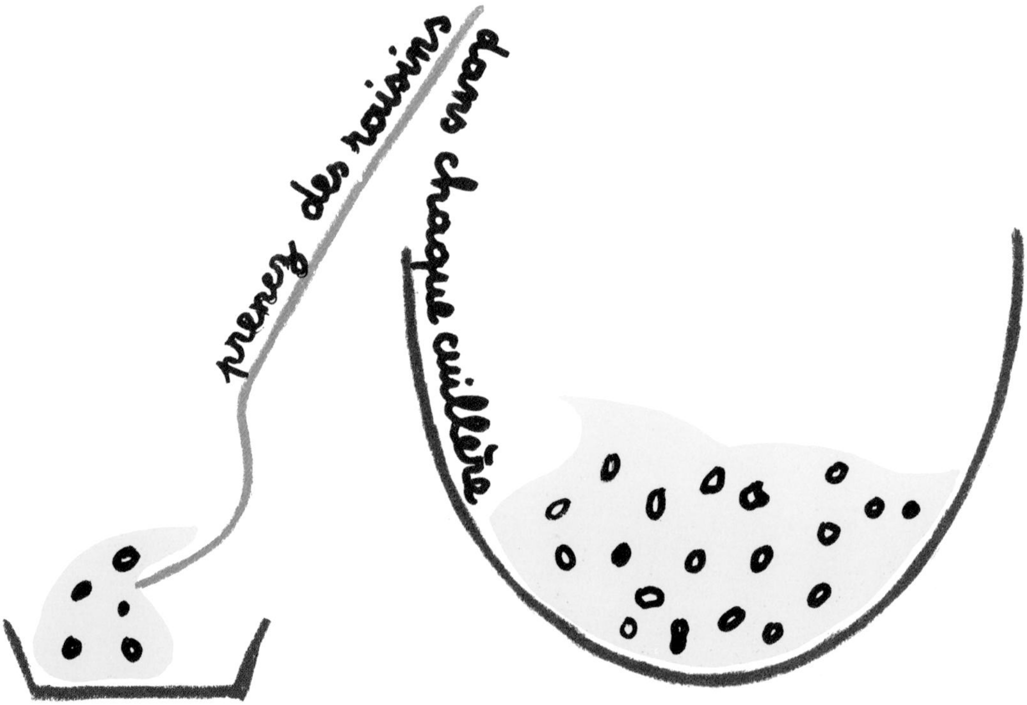

レーズンを　ひとさじごとに　いれてね

Petits Fours aux Corinthes

(16)

レーズンのプチ・フール（16コぶん）

２つのおおきなボウルに
たまご３コの　しろみときみを
それぞれわけて　いれておこう。

きみの　はいってるボウルに
さとう　おおさじ２はい　いれて
木《き》べらで　よくまぜる。

そこにドライレーズン１／２カップ
アーモンドプードルおおさじ５はい　いれたら
木《き》べらで　よくまぜる。

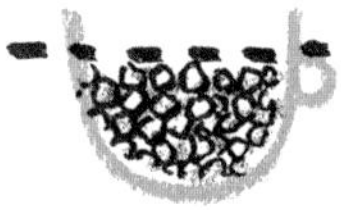

オーブンは２４０度《ど》にあたためておこう。

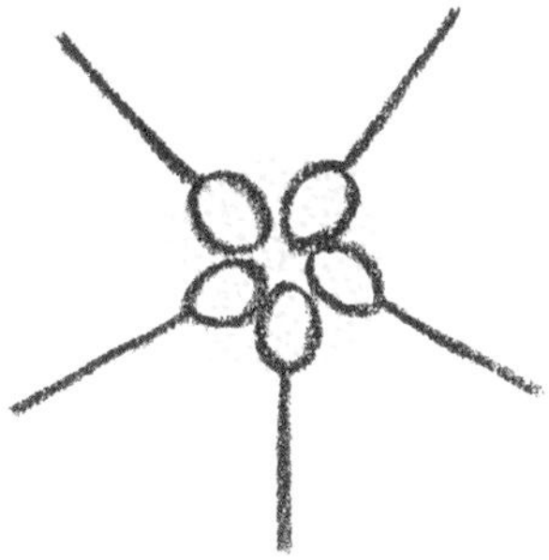

しろみをモコモコのゆきみたいに　すごくかたくあわだてたら
木《き》べらでまぜながら　きじにいれる。

ちいさな型《かた》の３／４のたかさまで　きじをいれて
オーブンで１３ぷん　やいたら
できあがり。

ポイント！　プチ・フールってなあに？

フランス語《ご》で“ちいさな窯《かま》”っていう意味《いみ》のプチ・フールは、そのむかし、薪窯《まきがま》で料理《りょうり》していた時代《じだい》に、低温《ていおん》でやくお菓子類《かしるい》のことを“プチ・フール”ってよんだことからきてるんだ（高《こう》温《おん》でやく料理《りょうり》のことはグラン・フール／おおきな窯《かま》）。ひとくちサイズのケーキやビスキュイ、チーズなんかがはいったしょっぱいおつまみのプチ・フールもあるんだよ。

le caramel étant difficile

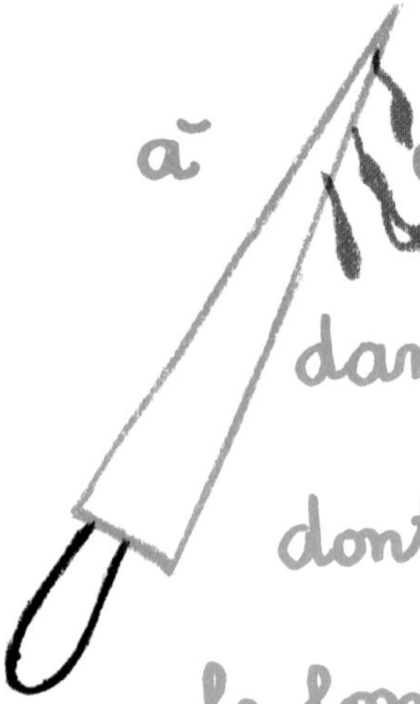

à couper versez-le plutôt

dans un bac à glaçons

dont vous aurez huilé

le fond et tous les carrés

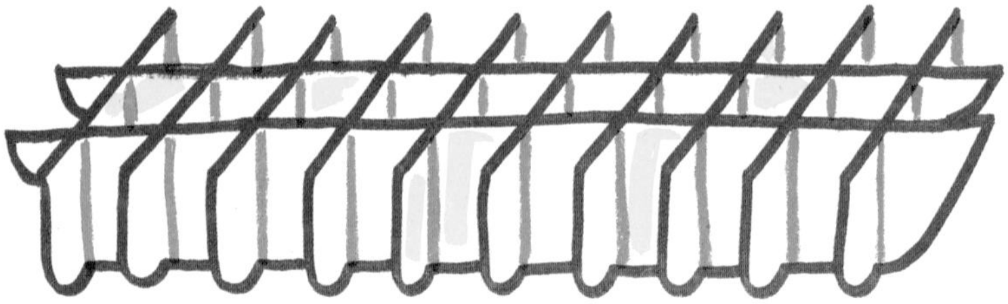

キャラメルは　きるのが
たいへんだから
あぶらをぬった
製氷皿《せいひょうざら》にいれると　ラクチン

Caramels au lait

ミルクあじのキャラメル

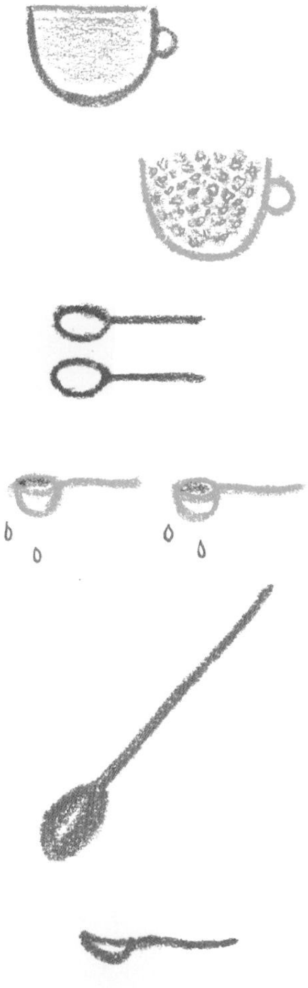

牛乳《ぎゅうにゅう》１カップ
さとう１カップ
バターおおさじ２はい
はちみつ　おおさじ２はい
いれたなべを　強火《つよび》にかける。

牛乳《ぎゅうにゅう》がぐつぐつ　にたったら
とろ火《び》におとして
ときどき木《き》べらで　かきまぜながら
２０ぷん　にる。

火《ひ》を弱火《よわび》にあげて
１０ぷん　にる。

サラダオイルこさじ１ぱいを
２つの　ちいさな（バットみたいな）型《かた》にぬったら
キャラメルをいれよう。

そのままさめるまで　ほっといて
しかくにきったら　かんせい。

plus
vous laissez cuire
plus
le caramel
est dur

キャラメルは
にればにるほど
かたくなる

maillotez la fourchette dans un petit
bout de linge propre

せいけつなふきんの
ちいさなきれはしで
フォークをくるもう

trempez-la dans
le beurre fondu
et badigeonnez
la poêle entre
chaque crêpe

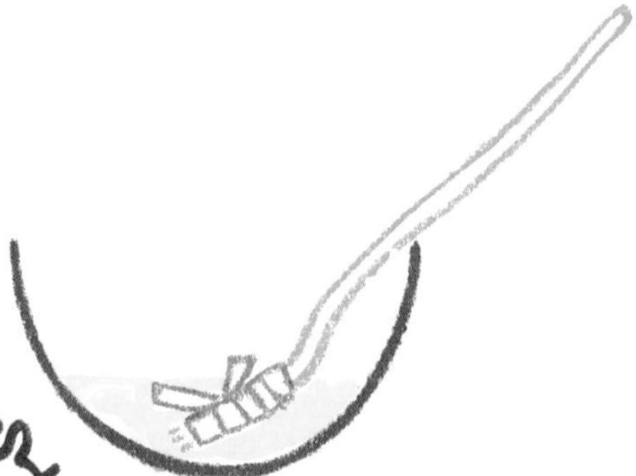

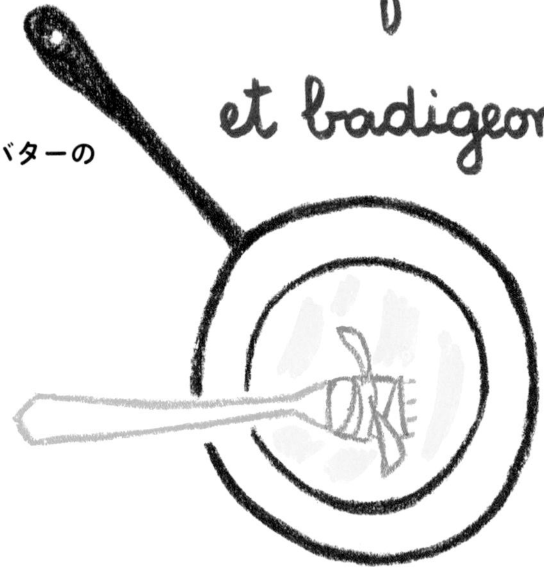

フォークをとけたバターの
なかにひたしたら
クレープをやく
あいま　あいまに
フライパンにぬる

quantité de pâte pour
une crêpe

１まいのクレープにつかう
きじはこれくらい

Crêpes (13 à la douzaine)

フランスうまれのクレープ（１３まいくらい）

おおきなボウルに
薄力粉《はくりきこ》２カップ　たまご２コ
バニラシュガー２ふくろ（１５g）
レモン１コぶんの　皮《かわ》をけずったの
しお１つまみ　をいれたら
あわだて器《き》で　よくまぜながら
水《みず》２と３／４カップを
すこしずつ　いれる。

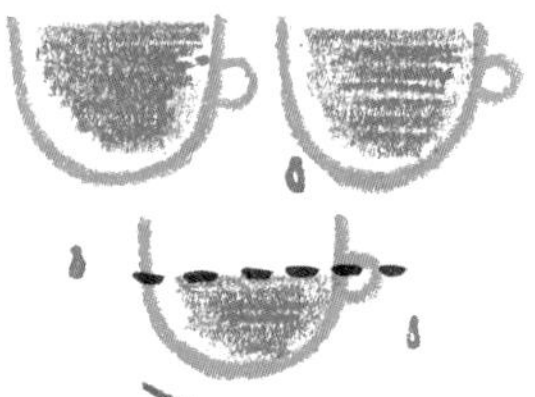

バターおおさじ３ばい　フライパンにいれて
中火《ちゅうび》にかけて　とかしたら
すばやく　ちいさなボウルに　いれておく。

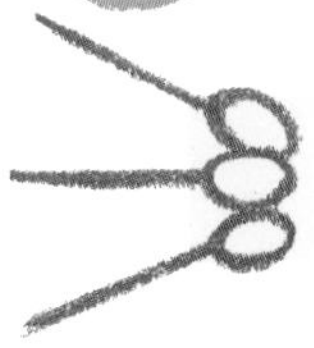

ちいさいおたま１／２ぱいぶんの　きじをすくったら
火《ひ》からおろした　フライパンのなかにいれる。
（いれたらすぐに　フライパンをくるくる　かたむけて　きじをうすくひろげよう）

きじにプクプクあわがたってきたら
ひっくりかえして１５びょう　やこう。

やけたクレープを　おさらにすべらせて　うつしたら
さとう　こさじ１ぱいをふりかける
……を１３かい　くりかえす。

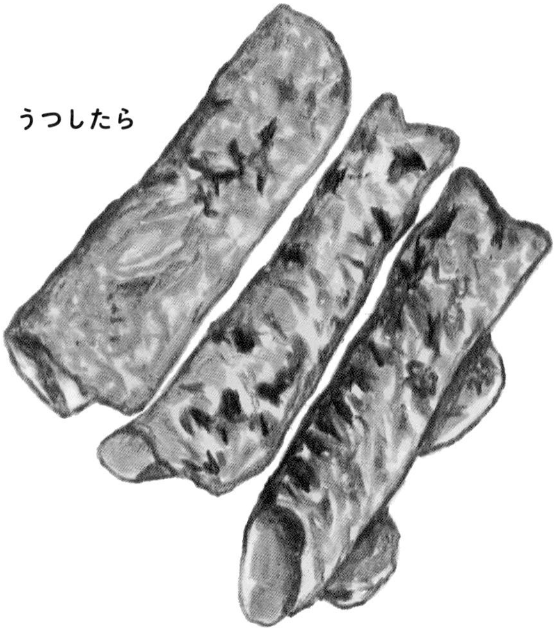

ポイント！　フランスの２月《がつ》２日《か》はクレープの日《ひ》

日本《にほん》でもすっかりおなじみのクレープを、フランスではキリスト教《きょう》の聖燭祭《せいしょくさい》（フランス語《ご》だとシャンドルール：おかあさんの聖母《せいぼ》マリアとおとうさんのヨセフにつれられて、キリストが神殿《しんでん》をおまいりした日《ひ》を祝《いわ》うおまつり）に、教会《きょうかい》のミサでもらうパンのかわりにたべる習慣《しゅうかん》があるんだ。クリスマスから飾《かざ》っていたツリーをかたづけるのもこの日《ひ》まで。ちょっと日本《にほん》の節分《せつぶん》みたいな、季節《きせつ》のかわりめの日《ひ》なんだね。

オレンジを　レモンにしても
つくれるよ

Petits Pots à l'orange (7)

オレンジのプチ・ポ
～フランスふうクリームデザート（7コぶん）

牛乳《ぎゅうにゅう》2と1／2カップ
バニラシュガー1ふくろ（7.5g）
オレンジ1コぶんの　むいた皮《かわ》
をなべにいれて　弱火《よわび》にかける。

オーブンは240度《ど》にあたためておこう。

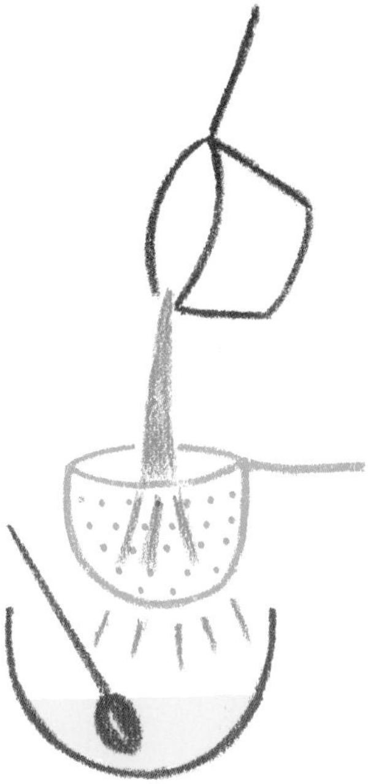

天板《てんばん》の3／4のたかさまで水《みず》をいれる。

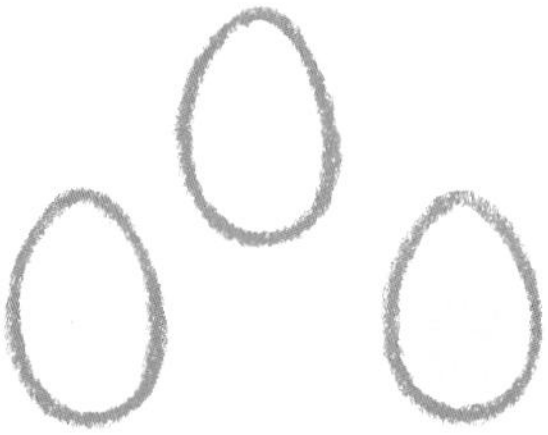

おおきなボウルに
たまご3コ
さとう1／2カップ
しお1つまみ　いれたら
あわだて器《き》で　よくまぜる。

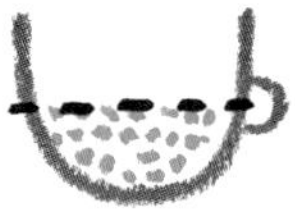

そこに　あつあつの牛乳《ぎゅうにゅう》を　濾《こ》し器《き》でこして
まぜながら　いれる。

水《みず》をはった天板《てんばん》に
きじをいれた　ちいさなココット皿《ざら》をおいて
20ぷん　むしやきにしよう。

laissez lever
couvert
d'un linge

ふきんをかけて　ふくらむのをまって

puis
battez
avec la main

それから　てでこねる

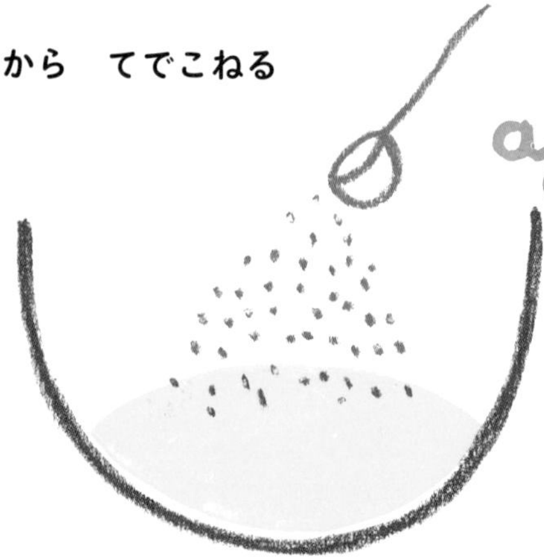

ajoutez
la farine

粉《こな》をいれよう

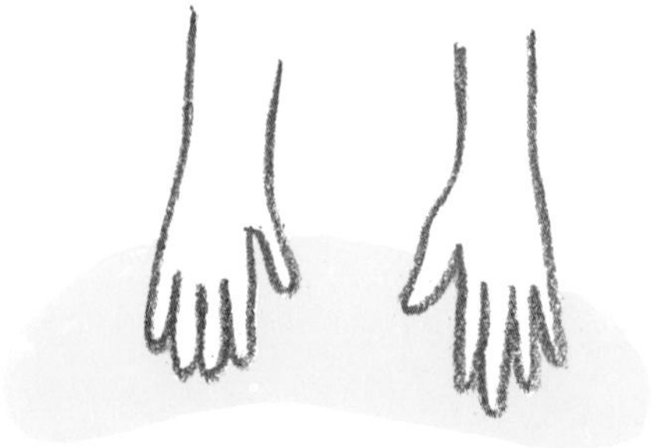

roulez grossièrement
en forme de pain
et HOP..!
au four

おおざっぱに
パンのかたちに
くるっとまいたら
ホイっ…！
とオーブンへ

Pain Brioché

しかくいブリオシュ

ぬるま湯《ゆ》おおさじ３ばい
ドライイーストおおさじ２はい
なべにいれたら　木《き》べらでまぜる。

そこに牛乳《ぎゅうにゅう》１カップ
バターおおさじ３ばい
しお　こさじ１／２ぱい
いれて　なべを中火《ちゅうび》にかける。

おおきなボウルに
強力粉《きょうりきこ》４カップ　いれたら
木《き》べらでまぜながら　なべのなかみをいれて
２じかん（か、もうちょっと）
きじがふくらむのを　まってね。

オーブンは１８０度《ど》にあたためておこう。

パウンドケーキ型《がた》にバターおおさじ１ぱい　ぬっておく。

ねかせておいたきじを　てでこねる。

きじに強力粉《きょうりきこ》おおさじ２はいを　ふりかけたら
きじをくるっとまいて
パンのかたちに　ととのえよう。

型《かた》にいれて
オーブンで１じかんはん
やくよ。

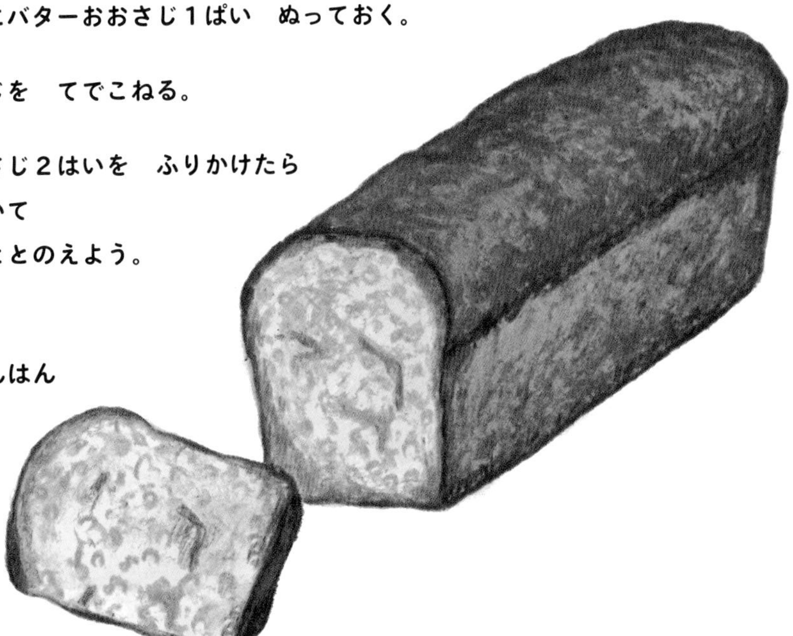

Gâteau à l'huile (6 pers)

ジャムサンドケーキ（ろくにんぶん）

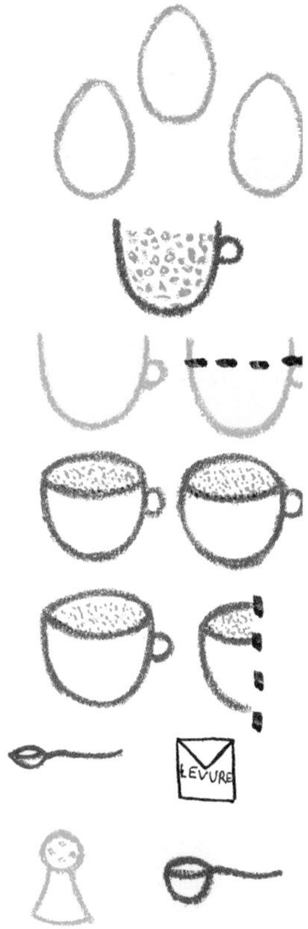

おおきなボウルに
たまご３コ
さとう１カップ（よりちょっとすくなめ）
いれて　木《き》べらでよくまぜる。

そこに　サラダオイル１と３／４カップ
薄力粉《はくりきこ》３と１／２カップ
オレンジフラワーウォーターこさじ１ぱい
ベーキングパウダー１ふくろ（１０g）
しお３つまみ
いれて　また木《き》べらでよくまぜる。

オーブンは２１０度《ど》にあたためておこう。

型《かた》にバターおおさじ１ぱい　ぬったら
きじをいれて　オーブンで１じかん　やく。

ケーキがやけたら　型《かた》からはずして
おさらにおいて
よこはんぶんに　きろう。

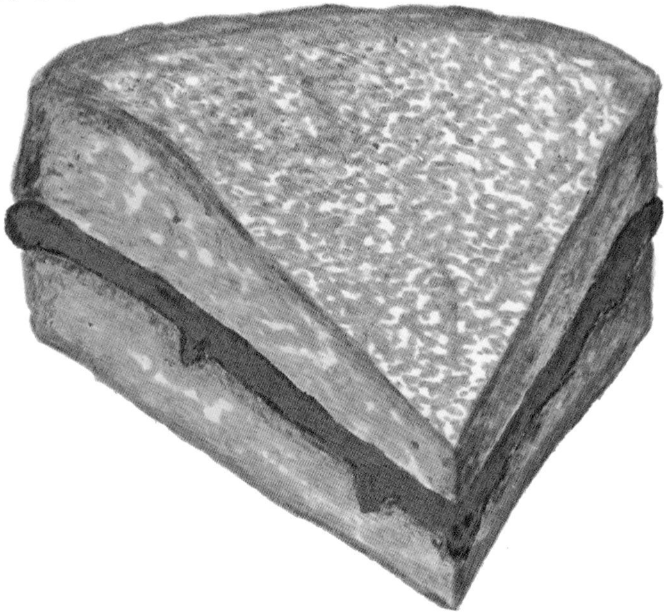

ボウルに
グロゼイユ（スグリの実《み》）のジュレ
（すきなジャムでもいいよ）
おおさじ５はい
ラム酒《しゅ》おおさじ２はい
いれて　スプーンでまぜる。

はんぶんにきったケーキのあいだに
ジャムのソースをぬったら
こなざとうを　ゆきみたいにふらせよう。

ミシェル・オリヴェ
Michel Oliver

料理家。１９３２年、フランス・ボルドー生まれ。父はパリのミシュラン三つ星レストラン「ル・グラン・ヴェフール」のオーナーシェフだったレーモン・オリヴェ。自らイラストも手がけ、１９６３年に刊行された『料理は子どもの遊びです』がフランスで大ベストセラーとなり、その後もカルト的人気を誇る料理本として読み継がれている。シリーズに本書のほか、『ジャムづくりは子どもの遊びです（Les confitures sont un jeu d'enfants）』など。

猫沢エミ
Emi Necozawa

ミュージシャン、文筆家、映画解説者、生活料理人。２００２～０６年、一度目のパリ在住。２００７年より１０年間、フランス文化誌「Bonzour Japon」の編集長を務める。超実践型フランス語教室《にゃんフラ》主宰。著書に『ねこしき』『イオビエ』（ともにTAC出版）、『猫と生きる。』『パリ季記』（ともに扶桑社）、『猫沢家の一族』（集英社）など。訳書に本書と同シリーズの『料理は子どもの遊びです』がある。２０２２年２月より愛猫を引き連れ、二度目のパリ在住。
Instagram：@necozawaemi

LA PATISSERIE EST UN JEU D'ENFANTS
Michel Oliver

First published in France by Plon, 1964.
This book is published in Japan by arrangement with Michel Oliver c/o Fabrice Piro
through le Bureau des Copyrights Français, Tokyo.

お菓子づくりは子どもの遊びです

２０２４年４月２０日　初版印刷
２０２４年４月３０日　初版発行

文と絵　ミシェル・オリヴェ
訳　者　猫沢エミ
発行者　小野寺優
発行所　株式会社河出書房新社
〒１５１－００５１
東京都渋谷区千駄ヶ谷２－３２－２
電話０３－３４０４－１２０１（営業）
０３－３４０４－８６１１（編集）
https://www.kawade.co.jp/

装　幀　大倉真一郎
装　画　ミシェル・オリヴェ
組　版　こゆるぎデザイン
印　刷　TOPPAN株式会社
製　本　加藤製本株式会社

Printed in Japan / ISBN978-4-309-29397-4
落丁本・乱丁本はお取り替えいたします。